もしあのBIGアーティストが「文春砲にやられた」歌詞を書いたら

相田　毅

幻冬舎

「エア作詞」による
この秀逸な１２０の詞を、
各アーティストの代表曲や
お気に入りの曲に（強引に）のせて
歌ってみるという
知的遊戯はいかがでしょう。
（編集者体験済み推奨）

［はじめに］

本書で作詞のセンスを吸収して あなたのオリジナルもぜひに

この本は昔、僕が専門学校で作詞を教えてた頃、卒業する生徒にプレゼントした「猿でも書ける作詞教室」という手作り読本が元になっています。

作詞を教えていて、生徒からよく、「誰々みたいな歌詞を書きたい」とか「どうやったら好きなアーティストの歌詞に近づけるのか」と聞かれました。

その答えとして、僕が家内制手工業で作ったのですが、何年か経って自分で読み返して、ちょっとこれは面白いなぁと思いまして。アーティスト数を増やしたり内容を刷新したりして、こうして一冊の本になったわけです。

ある一つの状況＝イメージテキストがあって、それを各アーティストは、どういう視点で歌詞に起こしていくのか。同じ物事でも視点が違えば感じ方も違います。円錐を上から見るのと正面から見るのとでは違うのと一緒です。20のアーティストの目線で描かれた、６つのシチュエーション、１２０の歌詞。楽しく読みながら、作詞のクリエイションを学んでもらえたら幸いです。

あと、本文にはアーティストの分析とか、詞を掘り下げるコーナーもあって、そこには、各アーティストが使いそうなワードとセンテンスを羅列しています。

単語は、実際アーティストが使ったものを含みますが、センテンスは僕が考えた（こういうのを使いそうだなぁ、という）オリジナルです。実際に組み合わせて、足りない箇所は自分で考えた言葉で補って詞作してみてください。そうやって、あなたのオリジナル歌詞になっていくと思うのです。

なんか学習雑誌の工作付録みたいですが、少しでも、「作詞って面白いなあ」って感じてもらえれば、僕も嬉しいです。

CONTENTS

状況 2

もしあのBIGアーティストが［葬儀でお経を聞いている］歌詞を書いたら …… 35

CONTENTS

CONTENTS

◆ ◆ ◆ ◆ ◆

［状況1］

もしあのBIGアーティストが「文春砲にやられた」歌詞を書いたら

［状況1］のイメージテキスト

密会を文春砲にスクープされてしまった

長年つき合っている恋人がいます。最近はマンネリになり、刺激もありません。そんな時、合コンで知り合った異性と関係を持ちました。しばらくは大丈夫でしたが、油断大敵。その異性が週刊誌にネタを売ってしまったのです。決定的な写真付きで。

もう逃げられません。職場にも行けず、公園のベンチで寝たり。コインランドリーで着てるものを洗ったり、自宅にも帰れません、海外に逃亡したいです。

そして今日、恋人の部屋に呼び出されました。まだ恋人を愛していますが、言えません。お互いに黙ったままです、気まずいです。お土産にチーズケーキ。テレビでは野球中継が。お茶でも淹れるねと言ってキッチンに行ったままです。

あ、戻ってきた。あれ？　お茶じゃなくて、手に包丁持って戻ってきました。

1　忌野清志郎

反省なんかしてねぇぜ！

それがRock　それがRock
反省なんかしてねぇぜ
たかがF○ck　たかがF○ck
反省なんかしてねぇぜ

いきなりオイラ　踏み込まれたのさ
あの娘《こ》とよろしく　しけ込もうとしてた
でっかいストロボ浴びせられて
気がつきゃ周りを　囲まれた
三流記者が　笑いながら
オイラにマイク　突き立てる
だから　言ってやったのさオイラ
中指突き立て　舌出して

それがRock　それがRock
反省なんかしてねぇぜ
たかがF○ck　たかがF○ck
反省なんかしてねぇぜ
It's Only F○ckin' Roll Baby!

もし手塚治虫が忌野清志郎を描いたら

…を田中圭一が描いたら

2　椎名林檎

修羅場ロマンチック

写真機　乱写の雨あられ　近況
私《わたくし》最近　喘いでおりました
立方体の水槽の中　傅《かしず》いて艶気《いろけ》づいて　毒気づいて
琉球色の魚のように　嫋《たお》やかに水槽を飛び出したんですの
殿方たちは制御不能《ごらんしん》　尾ひれに触れよと夜な夜な戯れ
それはもう　儒教は濡れるが如し

ですからそれが暴かれたとて
何を忌み嫌うものでしょう
美醜《ゴシップ》を清濁《せけん》は好むもの
水槽の魚に美食《エサ》を与えただけなのです

纏《まと》いたまえ憂《うれ》いたまえ　びいどろ衣擦《きぬず》れ肌と肌
床から湧き出る　黄金虫を踏み潰す
修羅場《ステージ》はロマンチック

3　奥田民生

文春学習

文集砲と新春シャンソンショーはちょっと似てる
モラルはあるが　使ったことはない
予習はしないが　復習が下手である
ならばこういう場面に　陥ることは
必然であろう　当然であろうな
なぜなら　世界は下心で回っているから

タブーに背きたい力　無謀な下半身力
そんなものは　不要なのだが
あの時は　そういうパーツが始動したらしい

たぶん今回は　かなりキツイ
Let's Study Hard Day's Night
だから次回は　かなりスキルアップよ
それまで不埒は　休業である

4　SEKAI NO OWARI

地獄の賛美歌

君と僕の世界が　暴かれた
たくさんのストロボと　暴徒が乱入して
僕らの小さな国は　土足で犯された
スクープ好きな　魔女狩りは
不幸の蜜に　よってたかって
裸にしていく　群衆心理

鳴り響くよ　地獄の賛美歌
誰が勇者で　誰が魔王だなんて
SNSの垂れ流しで
風見鶏みたいに変わってく

地球がそのうち廃墟になって
どこかの星から調査に来たら
壁画の文字を訳していうだろう
スクープ好きな　魔女狩りは
その後何万年も続いたと

5　aiko

1
忌野清志郎
2
椎名林檎
3
奥田民生
4
セカオワ
5
aiko
6
井上陽水
7
米津玄師
8
槇原敬之
9
スガシカオ
10
木村カエラ
11
星野源
12
ミスチル
13
YUKI
14
吉田拓郎
15
B'z
16
NOKKO
17
尾崎豊
18
スピッツ
19
ブルーハーツ
20
西野カナ

チーズケーキ

あなたが他のコと　写真を撮られて
木曜日の週刊誌に　載るって
LINE で来たことが　全てで
あたしの部屋にチーズケーキ　持って来て
それで何を言って　欲しいの？

抱きしめることを　もっともっと
二人してあげれば　よかったかな
窓の景色も　ベランダの風も　背中の陽だまりも
好きって言葉を　ずっと信じてあげたかった

人の噂も75日って　たぶん嘘だよね
750日経っても　7500日経ってもきっと忘れない
細長い　三角形のこの部屋で
過ごした日々だけ　早く忘れたいよ
でもきっとあなたの方が　早く忘れられるのが
今はくやしい　お土産のチーズケーキ
ナイフを入れて　もっと狭い部屋にしてやるんだ
もう誰も暮らせないように
あなたが誰とも

6　井上陽水

水曜日の憂鬱

大衆の好奇は　そうドラマチック
余すことなく　さらけ出すのが
ザッツ・エンターテイメント
戸惑い人を　追いかける
空砲　暴発　地獄絵図
ここは紀尾井の　三番地
木曜日への踏切は
ずっと開《あ》かずでいいのです

人工甘味の　ロマンのお酒を
人は飲みたがり　欲しがります
今夜　誰かが逢瀬をしたとて
必ず誰かが見てるもの

それは遠い　南の島でも同じこと
酋長の妻と　寝ている間男を
誰かがファインダー越しに　覗いてるのです
ずっと　じっと　見張られてるのです
水曜日の　憂鬱のように

7　米津玄師

1
忌野清志郎
2
椎名林檎
3
奥田民生
4
セカオワ
5
aiko
6
井上陽水
7
米津玄師
8
槇原敬之
9
スガシカオ
10
木村カエラ
11
星野源
12
ミスチル
13
YUKI
14
吉田拓郎
15
B'z
16
NOKKO
17
尾崎豊
18
スピッツ
19
ブルーハーツ
20
西野カナ

群衆心理描写

ボロい車に乗ってる奴には気をつけろ
バズーカみたいなカメラで狙ってるぜ
被写体　見たい　聞きたい　話したくない
神様に　ビンタを食らったような顔で
28頁あたりに載りたくはないだろう

群衆の中で群青のように　青く深く　深呼吸する
見張られてることにも気づかずに
鍛えようのない筋肉は　欲望の前には崩れ去り
愛は誤作動してしまう　そしてそれは醜聞になる

愛にモザイクかけないで　全てを見せて
このゴシップを　イレーザーで跡形もなく消去して
二律背反する僕らのIntegration
幸せみたいに曖昧で　中途半端なものに
僕ら振り回されたくないんだ

8　槇原敬之

文春砲を三振にとる方法

７回裏の攻撃の時
誰かの視線を　感じてたんだ
カメラで僕らを　狙ってる
僕らの秘密に　迫ってる
ビールを　買いに行く時に
ちらっと睨んだら　知らないふりさ
あの長いレンズの先には　僕らの密会
蜜時がぎっしり　詰まっている

確かに選手が　ホームランを打った時
あいつはそれを　撮らずにいたのさ
瞬間的な刹那の中で　僕らはピンチに　陥っていた
さぁどうする　どうしよう
向こうは名うての　ゴシップヒッター
僕は君を守りたい　ひ弱なエース
一か八かで勝負に出よう

君の手を取って　階段ダッシュ
出口に向かった　僕らを
あいつは慌てて　追いかけて来たけど
残念　階段でこけてアウトさ
でも僕らは　気づかなかった
勝った僕らを　祝福するように
ゲートで待ってる　マスコミの群れに

9　スガシカオ

多目的の女

たぶん　ギロッポンのビルで撮られた奴だ
しかしあれは　正当な欲望だと思うんだ
例えばダイヤの鉱脈を　見つけた男
世界中を滅ぼす　ミサイルの
スイッチを　手中にした男
ヨーロッパの映画祭で
赤い絨毯を　何人もの美女を連れ歩く男
そのどれもが羨望に　ミチアフレてる

ギロッポンなら　どうしたっていうの
それと違うわそれは　男の人の勝手な解釈
あなたのいいように　私の性は汚れてしまった
ねえ　学校で習わなかった？
14世紀のペルシャ王朝が　なぜ没落したか
弄ばれた召使が　王様の下着を切り取って
国中の御触れに　その不貞を暴いたの
象の背中で　パレードしてね

あなたのそんな言い訳が　女の私に通ると思う？
あなたのそんな言い訳が　女の私に通ると思う？
私　象よりミンクが好き

10 木村カエラ

口角機動Fantasy

もうすぐ　このドアを開けて
平和を乱す　Spring Man
やってくるのよ　スクープに撃たれて
ハニートラップ？　ハメラレタ？
あなたの言い訳　みんな撃ち落とす
私の心の秘密基地　威嚇弾頭ミサイルは
準備完了　スタンバイOK

明日にしてとか　誤解とか連発
口の中が　すごく渇いた午前二時
パラシュートで　逃げようとしても無理
逃がさないわよ　覚悟して

No No Dirty Baby
Can The Can. Can The Can
あなたを私の缶詰の中に
閉じ込めるから覚悟して
You Never Be Free Forever

11　星野源

本日発売

丸まった　本日発売の週刊誌
その辺にわざと転がして　目につくように
一枚の写真が示す　事実　記述　後悔
家族の団欒は　脆くも崩れたのよ

あの時　おはようのキスをして
いってらっしゃいの声がして
ただいまには声がなかった

もう一度だけ繰り返せたら
僕らはきっとやり直せますか
枕カバーについた涎が
白熱灯で黄金に光る
放課後のサイレンが　公園のベンチに流れ
コインランドリーの洗濯物を　回している
時も回して戻せたら　いいのにな
せめて先週の水曜日に

12 Mr.Children

たられば炒め

満員の通勤電車　青と赤の車内吊りが揺れる
激写！スクープ！天誅だとか
美女図鑑の彼女がほざいてる
SEXで綺麗になるんだよ　恋愛で秩序は保たれてんだよ
直撃取材？　記者会見？　謝罪　冤罪　同罪
OK！　メディアの鉄板《プレート》に　載ろうじゃないか

寝付けない君のエクササイズに　手を貸したんだと
暴かれたんなら言っとけば　良かったかい
売名行為の君に　純粋であるわけないなんて
賢くリークしてれば　助かったのかい
ホテルも別々　出口も別々　ベッドも別々
それじゃコトはおきないだろう

Ahすればよかった　Ah言ったらよかった
Soすればよかった　So言ったらよかった
後悔の　フルコースにはきっと
ポアレした　ソテーした　ブレゼした
たられば　たられば炒めが並ぶはずさ
メインディッシュまで

13 YUKI

うそつき

週刊誌の電話には　冷静なフリで
知りませんでしたと　呟く私
あなたが見知らぬ女と　ネンゴロだったなんて
聞いた時に旋律は鳴った

誰の心にもきっと　メシアは住んでいるのよ
でもリスクを恐れちゃ　現れないの
愛をここであきらめたら　過去の人に
私がなるだけ

うそつきには　ハリセンボンの　お仕置きを
長い髪に　強い意思が　宿り生きてる
美しく強く　激しく優しく
戦わなきゃいけないと

やり過ごせば人は忘れてしまう　違う
忘れてはダメなの　運命を変えるの
決戦に向かう女戦士は　交差点を渡る
自分がうそつきに　ならないために
その人に会うの

14　吉田拓郎

Have A No Nice Day

写真を撮られちまった
写真を撮られちまったよ
おいらの後を野良犬みたいに
追い回してたやつらに
写真を撮られちまったんです

写真を撮られちまったということは
写真が週刊誌に載るということで
写真が週刊誌に載るということは
写真を大勢の人が見るということなんです
写真を大勢の人が見るということは
写真をネタに記者が僕を囲むということなんです
写真をネタに記者が僕を囲むということは
写真の真相を僕が彼らに説明するということなんです
写真の真相を僕が彼らに説明するということは
写真の相手との関係を話すということなんです
写真の相手との関係を話すということは
写真を載せた週刊誌が売れるということなんです
写真を載せた週刊誌が売れるということは
写真なんて発明はこの世になければいいと僕は思うわけなんです
写真は当分嫌いなわけなんです
Have A No Nice Day No Color

15　B'z

Big Star Scandal

ビッグスターの好物は　スキャンダル
身体中　イケナイ薬のように
その快感が　蝕んでいるのです
現場はステージ　密会はギグ
不倫はジャムなんです
ワイドショーから三文雑誌
ゴシップネタの　ロックンロールサーカス
ノリノリです　みなさんどうです
これがビッグスターの　私生活なんです

ビバリーヒルズに　逃げ込んでも
上空には　ヘリコプターが
ロシアの宮殿に　しけこんでも
KGBの　カメラマンが
アマゾンの奥地に　逃避行しても
紀尾井町の　探検隊が
これがビッグスターの（お願いしますよ）
これがビッグスターの（お願いしますよ）
これがビッグスターの（お願いしますよ）
宿命なんです　Satisfaction I Can't Get No
But I Love It

16 NOKKO

She's Leaving Home

尾行されてる　あなたの姿を
今日　ワイドショーで見たわ
とてもやつれて　少し強がって
何かを守って　いじらしかった

でもあなたが　家に帰る頃
もうあたしの　姿はないわ
あなたのことを　スクープしたり
あなたのことを　探偵したり
そんなことは　したくはないの

壊れたことに　気づかないで
二人はそれを　抱えてた
そしてそれは　ある日
途方もない　悲しみを
あたしに投げつけて　葬った

She's Leaving Home
駅の売店にはあなたの記事の広告が
She's Leaving Home
飛び乗った電車の中吊りにはあなたの写真が
She's Leaving Home
でもみんなスマホしか見てなかったわ
She's Leaving Home

17　尾崎豊

コインランドリーブルース

この街は　汚れているから
真夜中のストロボが　全てを暴く
どこにも　逃げ場のない俺
シャツを洗う　ランドリー
無意味に置かれた　オジサン雑誌
プライバシーが　あられもない姿で
モノクロ写真で　晒されている

乱れた愛で　日常の轍《わだち》
消してくれる幻に　誰もが罠に陥る
真実の風　真実の雲
どれだけ人は　気づいて生きているだろうか

コインランドリーブルース
俺も今　びしょ濡れの哀しみの中
コインランドリーブルース
すぐにここを　逃げ出すさ
盗んだママチャリ　パンクしてた

18　スピッツ

パパ&ラッチ

パパ&ラッチ　とっても仲良し
街の噂をかたっぱしから　貪って
高級車に　息を潜めて
恋の蜜なら　盗んでしまえ

パパ&ラッチ　とっても物知り
誰と誰がアヤシイなんて　勘ぐって
ライトバンに　息を殺して
朝まで待つよ　淡い乳房を

ララララララララララ　パパラッチ
ララララララララララ　パパラッチ
も一度だけ　逢いたいな
愚かな感情　夏のミミズク
ララララララララララ　パパラッチ
ララララララララララ　パパラッチ
機関銃みたいな　ストロボ浴びて
僕ら　白日に晒されたけど
なんか君も　ほくそ笑んでた

19 THE BLUE HEARTS

1 忌野清志郎
2 椎名林檎
3 奥田民生
4 セカオワ
5 aiko
6 井上陽水
7 米津玄師
8 槇原敬之
9 スガシカオ
10 木村カエラ
11 星野源
12 ミスチル
13 YUKI
14 吉田拓郎
15 B'z
16 NOKKO
17 尾崎豊
18 スピッツ
19 ブルーハーツ
20 西野カナ

妄想King

スーパースターの　スキャンダル
もみくちゃにされて
すごい数の　フラッシュ浴びて
新聞のトップを　飾る僕の顔は
なんか　楽しそうに笑ってるんだ

妄想King　僕のイメージが
More So King　勝手に暴れる
妄想King　僕のオマージュが
More So King　どんな押さえつけたって

世界の石油王の娘と駆け落ち
パパラッチ引き連れてツアーに出かけるぜ
文春？　会社ごと買ってやるよ
ストレスによる新陳代謝の　停滞渋滞を
僕はこんな手段で　防いでるんだ

妄想King　僕のイメージじゃ
More So King　こんな世の中じゃないさ
妄想King　僕のインテリが
More So King　どんな押さえつけたって

20　西野カナ

文春デビュー

夢見がちな少女だった私
あの雑誌の前のほうに登場するとは
優しいパパとママと　お姉ちゃんお兄ちゃん
学生時代に　何度か恋愛したけれど
それはまだまだ　子供のレベル
恋の社交界は　遠い存在でした
あなたも一応　シンガーなんだから
週刊誌に載るくらいの　恋をして
私たちを　驚かせてよ
パパもママも　そう言って
私のことを　からかって

でも運命とは　侮れないもの
ある日　当然のように　私の扉をノックします
燕尾服を着た　素敵な素敵な　王子様
その時の私には　そう見えたんです
Girl Meets Boy
彼と私は一躍うわさに　どこに行っても追いかけられて
パパとママのご期待通り
週刊誌の特集ページを　飾ったのです
Waiting For A Star To Fall
パパラッチは私達の　デートにゾロゾロついてきて
おや？　その後ろから　パパとママもついてきて
なんだ　私のことが　まだまだ心配なんです

［状況2］

もしあのBIGアーティストが「葬儀でお経を聞いている」歌詞を書いたら

［状況2］のイメージテキスト

親戚の葬儀に参列して長々とお経を聞いている

遠い親戚のお葬式に参列しています。

お寺はわかりにくい場所にあって、来る時にタクシーの運転手さんも迷ってしまいました。

丘の中腹にある割と新しいお寺できれいなパイプ椅子に座り、お坊さんのお経を聞いています。読経が長いです。眠くなります。あと、読経に変なアクセントがついていて、聞いてるうちに笑いたくなります。

このあと出棺、火葬、食事。早く帰りたいです。今夜、フィギュアスケートがあるのに。窓の外は夕暮れでカラスが鳴いてます。

塔婆をどうするとか聞かれたけど、塔婆って何？

あ、またアクセントがおかしい。このお坊さん、超ウケるんですけど。やばい。

1　忌野清志郎

おんぷのわっか

だれの　あたまの　うえにも　きっと
わっかが　うかんでいます　そっと
けれども　うえを　みあげると
わっかは　きえるの　みえないの

ぼくの　わっかは　どんなだろう
まるかな　しかくか　さんかくか
みたいな　みたいよ　みる　みれ　みろ
だれか　おしえてくださいな

あたまのうえの　わっかを　そっと
みられるよ　こうすれば　きっと
うたを　うたうと　わっかはね
おんぷにかわるの　きえないの

どんな　うたを　うたいましょう
マーチか　ロックか　ブルースか
うたうよ　うたえよ　れる　れら　れろ
ほおら　わっかが　みえました

2　椎名林檎

合掌ホロヴィッツ

日日是好日《One Fine Day》　日日是好日《One Fine Day》
此処に来てまで　ヒトは冀求《もと》める
惰眠《だみん》はまだか　泥眠《でいみん》はまだかと
貴殿の肌に　轍《わだち》が虫づく
限りや愛しや厳島《いつくしま》　其処はかとない　墓などない
そう迷いましょう　迷いましょう
逸《いつ》そ一生　着《つ》床くことなければ
私はここに存在《ありは》しない

大立ち回りの丘の上　三文芝居の読み違え
右へ左へ会議は踊る
やがて誰もが困憊《こんぱい》る
韻律などは雲の上　聴いたことない雲の上
見たこともない板の上　黒白黄色　弔いの

3　奥田民生

1
忌野清志郎
2
椎名林檎
3
奥田民生
4
セカオワ
5
aiko
6
井上陽水
7
米津玄師
8
槇原敬之
9
スガシカオ
10
木村カエラ
11
星野源
12
ミスチル
13
YUKI
14
吉田拓郎
15
B'z
16
NOKKO
17
尾崎豊
18
スピッツ
19
ブルーハーツ
20
西野カナ

ケムリの男

彼は煙突から出て行く　旅支度をして
鞄などは持たないが　胸に花など抱えてる
何を思う　何が重い
特に不満などは　ないのだが
皆が悲しんでるのを見て　戸惑ってるのだ

自分に線香を　あげているのを見て
泣いてみたのだが　涙は煙になって
ゆらゆらあたりに　浮いてくる
自分にお経を　あげてくれてるのを見て
さらに泣いたが　涙は煙になるだけで
さらにぷかぷか浮いてくる

彼はそれに乗っかって
もくもく空へ昇ってく
めきめき空へ昇ってく
さよならを言う間もなかったね
合掌

4　SEKAI NO OWARI

エピタフ

今日は地球のお葬式だ
そして僕らも死んで行く
本当は1999年の７月に
君は死ぬはずだったけど
ノストラダムスに逆らいたくて
今日まで長生きしてくれた

ごめんね散々　君から愛をむしり取って
自然破壊　環境汚染　資源枯渇
僕らはそれを　世界平和と嘘並べてた
カラスはとうに　この星を見捨てて
ノアの方舟で　火星に渡ったよ

坊主はなんの役にも立たない
御託を並べて右往左往
新興宗教　進行方向　侵略戦争
此の期に及んで　なんてこった
割れた大地に　人々は飲み込まれ
鮮やかな赤い血で　墓碑銘になるだろう
新世紀の幕開けに　流れ星が数珠になるよ

5 aiko

1
忌野清志郎
2
椎名林檎
3
奥田民生
4
セカオワ
5
aiko
6
井上陽水
7
米津玄師
8
槇原敬之
9
スガシカオ
10
木村カエラ
11
星野源
12
ミスチル
13
YUKI
14
吉田拓郎
15
B'z
16
NOKKO
17
尾崎豊
18
スピッツ
19
ブルーハーツ
20
西野カナ

軽い呪い

ちょっと悲しい思いをさせたあの人に
軽い呪いを与えたい
今あたしが出てる　遠い親戚のお葬式
このお坊さんの変な発音のお経
これを真似して唱えたら
あの人に呪いがかかるかな
たとえば　コンビニで買ったおにぎりの具が
全部端っこに寄ってますようにとか
定食屋さんの割り箸が
絶対きれいに割れませんようにとか
あたしが感じた気持ちをトレースさせたいの

恋はなんて不便な乗り物なんだろう
行く先告げたタクシーが
ナビがあるのに迷うみたいに
思わぬ言葉のかけ違いが　ハッピーデイに
到着させない
あの子にあなたを持っていかれて
心の窓辺でカラスが鳴いてる
モノを知らないあんな男
早く荼毘しちゃいなよって
そうよ　きっとあの人は
塔婆なんて知らないし
御仏前と御霊前も知らないと思う

もし水木しげるがaikoを描いたら

…を田中圭一が描いたら

6　井上陽水

今朝起きた君にモーニングブルース

袈裟を着た君に　モーニングブルース
たとえこの世界が　何ひとつ変わらなくても
今朝起きた君に　モーニングブルース
たとえカラスが　白くなって飛んでいても
袈裟で来た君に　モーニングブルース
たとえ迷える　ドライバーが死に絶えても
今朝出来た君に　モーニングブルース
たとえニュースで　流れることなくても

通夜振る舞いは　瓶ビールと河童巻きが並ぶ
参列者は　興味なさそうに
早く帰りたがってる
私にはテレビの画面が　待っている
世界は変なリズムで　回っていると

平均的な読経が　求められる昨今
発音がおかしくても　失笑は禁物です

袈裟を着た君に　モーニングブルース
今朝起きた君に　モーニングブルース

7　米津玄師

1
忌野清志郎
2
椎名林檎
3
奥田民生
4
セカオワ
5
aiko
6
井上陽水
7
米津玄師
8
槇原敬之
9
スガシカオ
10
木村カエラ
11
星野源
12
ミスチル
13
YUKI
14
吉田拓郎
15
B'z
16
NOKKO
17
尾崎豊
18
スピッツ
19
ブルーハーツ
20
西野カナ

般若心境

木魚のリズムが　何かを告げる
あなたの人生を　揶揄するように
読経許可局　独立独歩　唯我独善
そもそも面識のない人故
僕の心は剝離夜這い　剝離夜這い？
おかしくて一人笑った
前に座ってる　坊主の話し方が
おかしいせいで　僕もつられたわけだ

さて　何を彷徨《さまよ》うか　それが問題だ
お経の断片は　僕を確実に睡魔に捉える
マントラの果ての　サンスクリットな孤島まで
約束しない旅のような　夢の世界に行くもよし
窓辺のカラスが鳴くように　社会のしきたり
葬いなどに心砕いても　仕方ないだろう

いつかは必ず　僕らも果てる
その日の為に何かを　唱えてるだけさ
色即是空　空即是色
そのリズムは　僕らを即ロックさせる
そして坊主は　屛風には絵を描かないのさ
なぜなら　生きることが絵だからさ
カラスがニヤリと　笑った気がした

君の三回忌

ここに来るときタクシーの運転手が
道を間違えて　慌ててた話とか
今　僕に説法している坊さんのアクセントが
面白くて吹き出しそうに　なった話とか
君が生きてたら　笑ってくれたね
気を使いすぎる　君だから
長くてごめんね　パイプ椅子で
脚は痺れてないかい
そんなことも　言いそうだけど
大丈夫だよ　雲の上でゆっくりおやすみ

昔から君は写真うつりが良くて
逆に僕は実物のがいいんだって
遺影を見てたらそんなことを思い出したよ
数珠の使い方も　3回目だから慣れたものさ
般若心経もよく聞いてると
テクノ世代の僕には染みるんだ
前世があって　現世があって　じゃあ僕ら
来世でも会えるかな
般若心経を唱えて「あ、テクノっぽいね」
って言ったらそれは僕だから
また仲良くしてくれよ

9　スガシカオ

ストラトキャスターは二度死ぬ

僕はもう半分死んでいる
情熱は怠惰になって
経験という臆病風に吹かれ
ディランも歌えず彷徨ってる
異常な日々は繰り返されて
僕に正常と誤認させた
アイデンティティは迷子になって
犬のポリスも知らぬ存ぜぬだ

そんな僕が他人の葬式に出てるなんて
おかしいじゃないか
ヘイ　惜しい人を亡くしましたなんて
言葉をおくる立場かい
ヘイ　そんな長い板に名前を　書いて
一体何を葬るつもり？
この前イカれたストラトキャスター
僕の葬式じゃ　それを墓に刺してくれ
戒名はSly Stoneで　戒名はSly Stoneで
僕が死ぬまで　目覚めないように

10　木村カエラ

アノヨノカガミ

向こう側に　行ってしまった
あなたと　話をしたくて
お寺の鏡に　語りかけたの
One Way Words One Way Words
どうか迷うことなく
遺影のあなたに　届きますよう

子供の頃の約束を　忘れててごめんなさい
あなたはあなたの　世界の空を
心経の翼で　飛んでいるのね
初盆になっても　法要繰り返しても
その微笑みは　忘れないで

不思議な奇跡が　起こるという
ミタマの鏡の　扉が開く
私の手を取って　あなたと一緒に
羽ばたきたいの　色即の空をどこまでも

11　星野源

もぐら和尚

ある日　ショジョ寺で
もぐら和尚は　カラスに聞いた
毎分世界では　17人の死骸が出るんだと
これはお墓が足りない　掘ろう

本日の葬儀に　よくぞ参列しやがった
もぐら和尚は　言葉が下手だ
弔問客から　失笑が漏れる
地獄絵図だよ　おっかさん
またまた　失笑が漏れる

地球のあちこちで　毎日墓を掘る
目が見えない　もぐら和尚は目が見えない
けれどもぐら和尚は　休まない
地球は穴だらけ　ネズミのチーズのようだ
ある日もぐら和尚は　僕の頭も掘り出した

悲しみやら喜びやら　ポロポロこぼれてる
記憶がこぼれるのは　いいけれど
彼女の思い出は勘弁して　気に入っているんだよ

12 Mr.Children

Bose Goes On～説法じみたSNSにアンパンチ

優しい人は誹謗中傷で亡くなった
相手を訴えたくてもSNSがやかましいんだ
坊主はみんな知った風で生を語るが
その実　性の方が裏じゃ詳しい顔してんだ
無記名の正義感が溢れたオンラインシステム
そのうち墓参りもパソコンで焼香はクリックで
そんな世の中になりつつあるんだろ

Bose Goes On Bose Goes On
説法じみたSNSにアンパンチ
Bose Goes On Bose Goes On
脱法すれすれSNSにアンパンチ

のらりくらりの焼香はまるで牛歩戦術
現内閣に不満タラタラで2ちゃんねるは大忙し
窓辺のカラスも鳴き出して投稿ラッシュ
起訴を免れようと政治家は数珠繋ぎの詭弁ばっか
証拠も遺体も燃やせばいいのよと坊主はのたまう

Bose Goes On Bose Goes On
説法じみたSNSにアンパンチ
Bose Goes On Bose Goes On
脱法すれすれSNSにアンパンチ

13　YUKI

あたたかい骨

死んだらカラダは　冷たくなるんだと
悲しくて　残酷なことを
初めて知った
祭壇の花は　少し無責任に美しく
あなたの皮膚を　包んでくれた

私の頭を　優しく撫でてくれた
あなたにはもう　会えないけれど
焼かれたあなたの　お骨はあたたかくて
最後の温もりだと　思ったら泣いた
瞬きすると　思い出せるの
お坊さんのような　あなたの喋り方
幼い私は　笑ってしまった

カラスにだって　目をそらさずに
好きなものを　好きだと言います
道に迷わない　タクシーのように
まっすぐ私は　私になります
あなたの骨に　誓います

14　吉田拓郎

青春葬儀

笑うことを　葬られた僕らは
せめて恋で　生きていきましょう
怒ることを　葬られた僕らは
せめて強く　生きましょう
殴ることを　葬られた僕らは
せめて清く　生きていましょう

青春は　失敗して埋葬の繰り返しで
やっとたどり着いた　場所もなんだか
自分の骨も　埋められないのです
たぶんそういうことなのです

死ぬ自由さえ　葬られた僕らは
せめて酒など　酔って語って
眠ることさえ　葬られた僕らは
せめて夢など　うつつをぬかして
帰ることさえ　葬られた僕らは
せめてあの娘と　しけこみましょう

青春は　塔婆を踏むような日々で
うまくやったと　思ったヤツらも
罰当たりと　嘲り笑われ
たぶん　そういうことなのです

15　B'z

1
忌野清志郎

2
椎名林檎

3
奥田民生

4
セカオワ

5
aiko

6
井上陽水

7
米津玄師

8
槇原敬之

9
スガシカオ

10
木村カエラ

11
星野源

12
ミスチル

13
YUKI

14
吉田拓郎

15
B'z

16
NOKKO

17
尾崎豊

18
スピッツ

19
ブルーハーツ

20
西野カナ

49 Day's Rock

塔婆を得た　戒名と言いましょうか
一生一度のLive Act
読経に　踊って狂って咲いてBlowin'
舞い散る献花に　捧げてRollin'
生前　据え膳　食わぬはRockのShameでShow

笑いたきゃ笑え　僕らの坊主のお出ましです
煩悩　現世　ありとあらゆるGrooveを
木魚のバスドラでキープする　スーパードラマー
住職Japanに盛大な黙禱をお願いします

故人が三途を渡るまで　みなさんRockの合掌です
River Sideに立ち止まり　今頃スタート台でしょう
激流　急流　いろいろあるでしょ
塔婆をボードに見立てて進め
Big Wave恐れずこなせ
You Got It! You Got It!
Hey Hey Hey! That's 49 Day's Rock Show

16 NOKKO

愛する人が死んだ朝

昔　パパと愛を誓ったお寺で
ママはあの日
パパに最後の　キスをした
私はとても小さくて
焼香も献花も　わからなかった
胡桃のような　拳を握って
ママが泣くのを　見つめてた

Circle　そして私は大人になった
愛する人もできて　名前も変わった
ママは小さな　写真になって
チェストの上で　微笑むわ

Circle　ママは最後の言葉の通り
パパとは別の　お墓で眠るの
そのことの意味や　あの日の涙
今なら私は　わかる気がする
愛することの　残酷さや
愛することの　切なさや

17　尾崎豊

1
忌野清志郎
2
椎名林檎
3
奥田民生
4
セカオワ
5
aiko
6
井上陽水
7
米津玄師
8
槇原敬之
9
スガシカオ
10
木村カエラ
11
星野源
12
ミスチル
13
YUKI
14
吉田拓郎
15
B'z
16
NOKKO
17
尾崎豊
18
スピッツ
19
ブルーハーツ
20
西野カナ

タクシードライバー

葬式に参列して　傍観者になるならば
死んでいく　当事者の方がいい
生き様を　墓碑銘に刻めないのなら
彷徨う生き霊に　なった方がいい
砕けた数珠に　映る尊顔
訳知り僧侶が　おかしく語る
パイプ椅子に佇む　俺を憐れみ
カラスも一瞥　羽ばたいていく

やりきれない気持ち　葬りたくて
斎場を抜け出した　車の中へ
たとえようのない行先を
俺は告げて　走り出す

タクシードライバー　教えてくれないか
俺の進む道は　これで合っているのかい
タクシードライバー　聞かせてくれよ
あんたが今まで　迷って来た
終焉の風景を

18　スピッツ

ヴェニスに死す

ヴェニスのどっかで　誰かが死んだ
名前はカラスが　くわえて飛んでった
記憶は誰かが　盗んでタクシーで逃げた
どうせ迷って　帰ってくるはずと
のたまう坊主は　木魚の中で昼寝中

ヴェニスの喪服の　女が泣いてる
数珠を濡らして　窓辺で憂う
坊主は意味を　忘れたらしい
祭壇の花が　一斉に狂い咲く
記憶が戻った死体が　棺桶の中で胸をなでおろす

塔婆の城で　幸せに暮らすのさと
ヴェニスの死体が　自分で焼かれた
ヴェニスの灰に　自分でなって
ヴェニスの土に　還っていった
ヴェニスの空に　月が出たよ

19 THE BLUE HEARTS

ロックンロールの自殺者

ラジオスターは　ビデオスターに殺された
ビデオスターは　ユーチューバーに殺された
エルヴィスから　ビートルズから
振り返りゃ　ロックの歴史には
死骸が　ゴロゴロ転がってらぁ

坊主の　説教が長すぎて
ジョンが　棺から起き出した
ジミヘンも　きっと退屈で
燭台で　ギターを燃やし始めたぜ

ロックンロールの　自殺者どもが
カラスの観衆に　出迎え受けて
ロックンロールの　自殺者どもが
カラスのシュプレヒコールに　ピース！

クーリングオフ

あなたと出逢ったのは親戚のお葬式
お坊さんがお経を読んでる時あなたは
ゲラゲラ笑ってお母さんを困らせました
でも確かに変でしたよね　だから二人大人になって
ある日　街で偶然会って　お茶して　映画見て
食事して　LINE交換して　約束して
そんなこと思いもしなかったのです

そんなこんなで　何年も付き合った二人
また親戚の法事で一緒になって
そしたらあのお坊さんがやって来て
あの独特のお経の読み方で
あなたも私も吹き出してしまいました

ほんとはあなたと合わないな
そんなことも考えていました
恋愛の神様に返品しようかなって　考えていたんです
でも　あのお経で二人笑いだした時
やっぱりあなたと合うのかな？
そんな風に思えたんです
それにね　運命の返却期間は
もう過ぎてますよ　あのお坊さんが
ニヤッと笑って言ったような気がしたんです
しかたないなぁしかたないなぁ　つきあってあげる

作詞家の中身

作詞家は自炊派である

作詞家が受ける質問として、どういう時にアイデアが浮かぶんですか？　というのがダントツ多いと思うのだけど、その答えとして、締め切りが目前に迫った時、もしくは過ぎた時、というのもダントツなんじゃないかな。

特に過ぎた時には浮かぶ、いや、浮かばざるを得ない、いや、選択の余地もない、迷う暇もない。トコロテン式に押し出されるのだ、そうなのだ。

あと、どうしたら上手くなりますか？　とも聞かれるんだけど、自炊と同じで毎日やってたら上手くなります、絶対に。

毎日買い物行って、スーパーで魚とか野菜とか見て、ああ、これはあれと煮付けたら美味いとか、これは揚げて食べたら美味しいなぁとか、毎日やってたら閃くと思うの。素材と素材の組み合わせの妙というか、センスが鍛えられるのですね。

それと同じで、日々作詞してたら、ああ、このアイデアはこう料理して、この言葉と合わせたらさらに面白くなるなぁってピーンとくる。保証します、なぜなら僕は毎日リアルに自炊して、詞も作っているからです。

作詞家は打撃投手である

たとえば、奥田民生みたいな歌詞にしてくださいとか、槇原敬之のあれっぽい内容にしてくださいとか、以前はそういう頼まれ方が多かったです（今は違うけどね）。そうなると、それぞれのアーティストの歌詞のクセとか球筋とか研究するわけ。それはまるで、プロ野球のキャンプで、打撃投手がバッターから、他球団のピッチャーのキメ球を要求されるのと同じなのです。

巨人・菅野のスライダーを投げてくれとか、ソフトバンク・千賀のフォークを投げてくれとか、楽天・岸のカーブを投げてくれとか、日ハム・有原のチェンジアップを頼むとか、プロは、いろいろな要望に応えないとならないわけですよ。

今は逆に、今まで見たこともない歌詞を書いてくださいとか言われるけど、そうなるとそれは今まで見たこともないボールを投げてくれってことだから、あれだよね……星飛雄馬とか番場蛮とかアストロ球団とかさ。無理だよね、絶対。

作詞家はAMラジオ派である

僕はＡＭラジオ派です。もちろん映画も好きだし、本も読むし、舞台も見ます。でもね、それらは作詞に直接影響することはないです。感動した作品もあるけど、それは山肌に染み込む谷川の水のように、長い時間をかけて感性になるの。

じゃ、何が即行で詞の素養になるかっていうとラジオです、それもＡＭラジオ。ＦＭでもいいんだけど、要はしゃべりが多いほうがいいんですよ。歌詞って口語体じゃん、ほとんど。平易な言葉で庶民目線で語った言葉の中に、ヒントがたくさんあるんだよね。

もうね、昼ワイドから深夜放送まで、ずっと聴いててもラジオは面白い。大竹まことか毒蝮三太夫とか大沢悠里とか、そういうパーソナリティの番組がいいのよ、ネタになるの。深夜放送もいいよねぇ、もう何年も前になるけど、僕はオールナイトニッポンにハガキ書いて、「全パーソナリティのネタコーナーを完全制覇」した経験がありますって、自慢か。

作詞家は不勉強でいい

僕は作詞の教室に通ったこともないし、作詞の本で勉強したこともないです（その前はコピーライターだったけど、コピーも学校行ってないです）。ほぼ無垢、無知蒙昧、無教養のままで作詞家になったの。怖いモノ知らずだったなあ。

だから、僕にとってはＳＭＡＰが作詞の学校だった（けっこう厳しい学校だったけど）、作詞家に必要なことは全部あそこで教わったと思う（徹夜が多かったから全寮制の学校だな）。何にも知らないから吸収力がすごかったのよね、スポンジみたいに。

よくディレクターから「つまんない」って言われたなぁ、持ち込みする新人の漫画家みたいにね。でも、無知で無教養だからそう言われても耐えるのよね、がんばれるの。あれかなぁ、プロ野球のピッチャーとか、高校から行ったほうが、大学とか社会人を経由して行くよりも、変なクセがついてないから大成しやすいとか言うじゃない、同じかなぁ……違うか。

作詞家は作詞を見たほうがいい

僕は子供の頃からレコードの歌詞を読むのが好きで、主に洋楽だったけどよく見てました。父親所有のイヴ・モンタンのレコードの訳詞とか。

　シャンソンの詞って、厭世的っていうか、死ぬのね、歌の最後は。人生を回転木馬にたとえて、最後は止まるの（死）。あと、姉が持ってたサイモン＆ガーファンクルのレコードも訳詞を読んでた。サウンド・オブ・サイレンス、ミセス・ロビンソン、ボクサー……どれも邦楽の歌詞と違うんだよね、なんかさ、意味がよくわからないし難解。だって「沈黙の音」だよ。

　その理由は、そのあと好きになった、エルトン・ジョンの歌詞を書いてるバーニー・トウピンで明らかになった。センテンスとセンテンスがつながってないんだよ、洋楽の歌詞って。不親切というか、説明不足っていうか。僕が作詞でセンテンスとセンテンスの距離とかを意識するのはここからです。歌詞は説明じゃないんだって新発見でした。ただ、邦楽の場合、情景や心理描写も、ある程度は必要だけどね。

作詞家はタイトルに固執しないほうがいい

　ＳＭＡＰのシングルで「負けるなBaby!～Never give up」って歌があるんだけど、これ、書いた時は「コーサンするにはまだ早い」ってタイトルだったの。たぶんジャニーさんが変えたんだと思うけど……。この歌は後々まで、メンバーが選ぶ「歌うのが恥ずかしい歌」1位として君臨することになる、っていうね。

で、関ジャニ∞に書いた「大阪ロマネスク」って歌があって、なんでこのタイトルをつけたかって言うと、歌詞を書き上げた時、タイトルが決まってなかったのね。そしたら、そばに川内康範のＣＤがあって、タイトルが「昭和ロマネスク」だったと。それを見て、あ、なんかこれでいいやって思ったと……大阪だし、昭和と入れ替えて。

この歌はファンにすごい好評で、なぜシングルにならないのかって騒がれてたんだけど（のちにシングルカットされた）、ジャニーさんが「あんな変なタイトルの歌をシングルにはできないよ！」って言って反対してたらしいのね。いやぁ、うーん、そうかなぁ。「負けるな……」よりは……。

［状況3］

もしあのＢＩＧアーティストが「歯に青海苔が付いた」歌詞を書いたら

［状況3］のイメージテキスト

歯に青海苔が付いてるのを発見！

何か違和感がある。うまく言えないけどなんか変だ。なんだろう。

今日は大切なステージもある、人も大勢集まるし、撮影も入るようだ。占いでは今日はツイてると出たのに。青春が蘇るとか、恋もバッチリとか。

冷蔵庫にあった、焼きそばとお好み焼き、締めのトコロテンまで、青海苔たっぷりかけて。ノリノリで食べてキメてきたのに。なんなんだろう、この感覚は。

道行く人がみんな自分を見てたような。

おかしいなぁ、顔に何か付いてるのかなぁ。

「あの、歯に青海苔がべったり付いてますよ」

え？　もう本番だよ。笑えないじゃん。

1　忌野清志郎

青海苔ついてるヒッピーのために

歯に青海苔ついてるヒッピーのために
ブルースを演《や》ろう
歯に青海苔ついてるヒッピーのために
ブルースを捧ぐ

美しい弱者だった　夢見がちなゲリラ野郎
憧れてカッコつけて　だけど歯に青海苔くっつけて
青海苔の瓶と一緒に　消えちまった
商売下手で　青海苔ベッタリくっつけて
アジってラリって　平和に愛想つかして

夜店で焼きそば　焼いてたヒッピー
青海苔みたいな　きれいな目をしてた
シーハーしても　青海苔は取れねぇ
ダサいぜヒッピー
ロックしたって　ノリが悪いぜ
頼むぜヒッピー
ヒッピーのため　歌うぜブルース
ヒッピーのため　捧ぐぜブルース

ゲバラとカストロ

そのくらい　愛して欲しい
歯と歯がカチカチと
音を立てるくらい
抱きしめて　壊して欲しい
私の歯を　覆ってる粘膜を
あなたの舌を　覆ってる粘膜で
ゆっくりゆっくり　時間をかけて

あなたの歯に
漂着している　青海苔を
私の舌に　着床させて
行ったり来たり　繰り返して
歯と歯の間に　揺蕩《たゆた》うわ
二人の情念

私の歯間に
執着している　青海苔を
あなたの舌で　解放させて
ゲバラとカストロ　みたく
歯と歯の間を　すり抜けるの
二人の愛憎

3　奥田民生

ノリノリでＲ！

ノリノリのノリ　そんなノリとかどうだろう
ブランドも関係ないし　高級なのも肩が凝る
青くてノリが良いのが　Ａよ
ＡもＢもＣも　どれでもＥよ
青ノリがＡね　Ｅね　そうね
ビンのがラクね　そうね　ラクね

歯《ハ》歯《ハ》歯《ハ》歯《ハ》と笑えば　口元にグリーンスマイル
それがこの素晴らしい　ノリノリの世界
危険な海とか　絶壁でなきゃいいノリはね
焼きそば　お好み焼き　皆ノリノリである

Good!ノリGood!　そんなノリなら
歯にもつこうぞ
Good!ノリGood!　そんなノリなら
ついてもいいぞ
Good!ノリGood!　そんなノリなら
鼻にもつこうぞ
Good!ノリGood!　そんなノリなら
鼻はまずいぞ

青い宇宙のカーニバル

地球と月が　相談をして
今夜　宇宙の　お祭りをやるんだ
でかい夜店を　銀河系に並べて
焼きそば　タコ焼き　お好み焼きを作ろう
焼くのは　月の係だけど
アオノリ振るのは　地球の役目さ
関取が土俵で塩を　大きく振るみたいに
巨大アオノリの塊を　地球の空に放ったよ

東京　ニューヨーク　ロンドン　北京
空からアオノリの　紙吹雪が舞い散って
モスクワ　マドリード　ミラノ　サンパウロ
見上げる人の白い歯に　アオノリはくっついた
戦車の大砲は　アオノリが詰まって
今日は戦争も　できないさ
ミサイルの点火も　アオノリが消し去って
今日は侵略も　できないさ

地球と月が　相談をして
今夜　宇宙の　お祭りをやるんだ
気難し屋の　火星も来るよ
照れ屋の冥王星は　引っ張り出そう

5　aiko

あなたの前歯

コップの水に入ってる　スプーンのように
あなたにまっすぐだと　思ってたわたしは
どうやら　屈折してたみたい
だってあなたが　焼きそばを食べたかなんて
歯に青のりが　ついてればわかるけれど
澄まし顔で　口でもすすげば
なに食べたかなんて　わからない

焼きそば以外にたこ焼きお好みポテトチップス
どこかで恋を　つまみ食いしたとかも
いつも歯に青のりを　チェックしてるわけじゃない
キスの仕方で　わかるって言うけど
タバコを時々　吸ってるあなたと
今はキスはしない　したくない
けれどそれが　思うツボなのかな
あなたはわざと　そうしてるのかな

あなたの唇　ずっと見てる
前歯が白くて　安心したよ
あなたは私を　ずっと見てる
心のスプーンが　真っ直ぐになる
ねぇ　キスして

6　井上陽水

青い経験

夏の海辺に　少年は立っていた
海水パンツに　日焼けした肌
海の家で買った　焼きそばを
携え少年は　佇んでいた

褐色のソースは　少年の日焼けした肌のよう
青海苔は　どこまでも青く　けれど
海の青とも　空の青とも違っていた
紅生姜は　太陽のように真紅に燃えて
若い肌を　ジリジリ焦がした

焼きそばを頬張る　少年の口元に
青海苔が付着して　風に揺れる
後ろから影が伸びる　少年の母親が
たこ焼きを手に　少年と並ぶ
優しく少年に　麦わら帽子を被せた
その美しい口元には
少年と同じ青海苔が　麗しく光っていた

7　米津玄師

アオル、ノリル、ちりつもる

世界はプレーンなお好み焼きで
地球はクレイジーサイズのタコ焼きかい
踊る民衆はカツオブシか
もしくは歯につくアオノリか
アオル　アオル　アオノリル
ネットで無作為　メディアのパニック
踊る阿呆に　見てんじゃねーよの阿呆
同じ阿呆なら　傍観者にならなきゃ損
アセル　アセル　アオノリル

世界のデータはお好み焼きのように混沌で
地球のシステムはタコ焼きのように焦げ付いて
逃げる群衆はハナガツオか
それとも歯につくアオノリか
アブル　アブル　アオノリル
一寸先の闇が手招き　あてもないのに人はマネキン
思い出しても　パスワードは鈍臭くて
ニブル　ニブル　アオノリル
世界の空から数字のように　アオノリが降って来る
アオル　ノリル　ふりつもる
アオル　ノリル　ふりつもる
アセル　ニブル　ちりつもる

もし原哲夫が米津玄師を描いたら

…を田中圭一が描いたら

8　槇原敬之

ツイてる男

例えば大学の学園祭で
張り切って　焼きそば焼いてた時も
歯に　青のりをくっつけて
あとで写真を　見たら僕だけ
笑顔が　間抜けでいたはずさ

翌年の学祭で　焼きそばはやめて
タコ焼き屋台で　焼いてた時も
なぜか　口元に青のりがくっついて
ちょび髭みたいで　キャンパスで
青髭男爵って　あだ名されたよ

就職試験の朝だっけ　昨夜のお好み
焦って食べて　出かけたけれど会場で
面接官に　君はハッキリしてるけど
歯にもハッキリ　青のりがついてるよって
笑われたんだけど　ノリで入社できちゃった

ついてんだよ　ついちゃうんだ
そんな僕が今じゃ独立　IT企業のCEOに
ついちゃったんだよ　ついちゃったんだよなぁ
人生ってわからないものだよね　マル

9　スガシカオ

ブルーチップ

仕込まれたんだ　カラダの中に何か
ぐうたら　寝ていただけなのに
誰が何時《いつ》！　何のために！
さっき食べた　焼きそばか
焦げる香り　芳醇な
濃厚なソースが　罠だったのかな
念入りに歯を　磨いたつもりだったけど
とくに舌先に　違和感を感じるんだ

あと少しで満タンの
ポイントカードのようにさ
躊躇なく　憂鬱な
カウントダウンは始まった
どうやら僕の　歯に仕込まれた
小さなブルーチップから
情報は　漏れてるようだ

どうすんの？　どうしようかな
自問自答のショータイム
申し訳ないけれど　撮影はやめてくれ
こんなブザマは　即削除してくれ
もしくは歯のアオノリだけ　修正してくれよ

10 木村カエラ

アオノリの夢

ねぇアオノリ　今どんな夢を見てる？
ねぇアオノリ　将来は何したい？
ねぇアオノリ　私たちずっと友達だよ
ねぇアオノリ　そうでしょ

いつも一緒だった　あなたと私
給食で出た　焼きそばを食べると
あなたはいつも　歯に青のりが
その日からみんなに　アオノリって呼ばれた
最初　あなたは嫌がってたけど
次の日から　アオノリって呼ばれて返事してたね

誰かにいじめられた時　私が怒ってその子に
一人立ち向かったら　あなたは私の後ろで震えてた
ダメだよいつも　私にくっついてたら
いつも私があなたを　守ってあげられないんだから
そう言ってもあなたは　私にくっついてたね

ねぇアオノリ　そこはどんなところなの？
ねぇアオノリ　そこに友達はいるの？
ねぇアオノリ　なんで私から離れたの？
ねぇアオノリ　なんで一人でいっちゃったの

11　星野源

焼きそばでお願いします

街の中華屋　短冊の手書きメニュー
君と来ていた頃　注文は僕が決めてた
たいていは　レバニラと餃子とビール
そしてたまに　鶏の唐揚げとビール
ごく稀に　麻婆豆腐とビール
君は本当は　焼きそばとか
そういうものが　良かったんだね

思えば縁日とか一緒に行くと　タコ焼きや
お好み焼きとか　青海苔系が好きだった
僕にも食べなよって　差し出す君に
青海苔がつく粉物系は　どうもねっていうと
君は悲しそうな　顔をしていた

思えば僕は　思いやりがなかったようだ
たまには君と　歯に青海苔つけて
互いの心を　知る必要があったんだ
そういう夫婦に　なるべきだったね
もう遅いけど　今日は僕なりにそうするよ
炭水化物も　好きにならなきゃね
すみません！　締めは
「焼きそばでお願いします」

12 Mr.Children

アオノリ

アオノリよ
お前は薄っぺらで　儚くて切なくて
頼りなくて　恋しくて愛しくて
まるで生活という　皿に盛られた
焼きそばに舞う　希望や夢のようだよ
そこには人間という　Menが蠢《うごめ》き
喜びや悲しみや　絶望や差別や　生や死や
苦しみや殺戮や　セックスやドラッグを
ソースのように嗅ぐわせて　世界は日々生きている

けれど人間の欲望は　罪深くて尽きなくて
金持ちや上級国民が　金に飽かせて
エラい政治家や権力者どもに
寄ってたかって　もっとアオノリをアオノリをと
ゾンビのように　集《たか》ってくるんだ

でもそんなの本当の幸せじゃない　嘘っぱちさ
この街を見下ろせる丘で　僕は君の手をとった
ねぇ　人には誰も幸せのアオノリが
一枚だけ　歯についているんだよ
だから人は　好きな人とキスをして
その幸せをあげたいんだ
僕と君がこうして抱き合うように…
愛してる

13 YUKI

馬耳東風

冷蔵庫にあった私の焼きそば
黙って食べたでしょ
歯にアオノリがついてるよ
なに知らん顔でSpotify聴いてるの
左の耳から聞いたこと　右の耳から抜けて
最近は上の空に君はいる

この前も一緒に食べようって買った
お好み焼き　先に一人で食べちゃって
口元にアオノリつけてさ　バレバレよ
すれ違ってる　休みが合わない
食べたいものずれる　二人いるのに
一人を感じて　これは試練？　これ超えたら
いよいよ二人の恋は　エピソード2に向かう？

タコ焼き買って来たけど　これはあげない
私ひとりで食べるからね
そう言ったらSpotifyやめて
タコ焼きみたくふくれっ面
食べたいの？　じゃアオノリ買って来て
切れちゃったから　二人で一緒に
アオノリ歯につけよ　ピース

14 吉田拓郎

いつも心にヒロシマを

僕が広島にいた頃　お好み焼きには
オタフクソースが当たり前でした
あのふくよかで　甘く味わい深いソースに
青海苔をドバッと振りかけ　歯に付いても
おかまいなしにお好み焼き　焼きそばを食べる
広島県人には　一般的なことだったんです
でも東京に来てからそれは
ブルドック中濃ソースに変わりました

ブルドックが悪いと言っているわけではありません
トンカツには合うし　パグ犬を飼ったこともあります
でも　やはりお好み焼きにはオタフクソースなのです
東京に来てから　何十年も経ち
僕は色々な人に出会い　大切な人と別れもしました
そして歯に青海苔を付け　かけがえのない愛を
失くしたこともあります
でも　やはり　これだけは別れたくない
失くしたくない　そう願うものがあるのです
オタフクソースのお好み焼きに
青海苔をドバドバ振りかけて　ワシワシ食う
シャツにはソースの飛沫が　歯や口元には青海苔が
そんな満腹な幸福感を　僕は忘れたくはないのです
いつも右手にオタフクを　左手にはビール
そして歯に青海苔です　センキュー

15 B'z

アオノリ美人

自分の顔についている　ホクロの数や場所で
恋を占ったりしてるあなた
自分の歯についてるアオノリは
占うには値しませんか
セクシーな唇にキュートなアオノリ
ゴージャスなエクボにJust Fitアオノリ
プールサイドで際どいビキニ着て
男の人の視線を浴びてる　アオノリバディ

そうです　あなたはアオノリ美人
雷神のように輝いて
そうです　あなたはアオノリ小町
赤道直下のアオノリ　タテノリ
Human姉ちゃん　Human兄ちゃん
どれもみんなHuman Nature
アオノリ自然体で　いいと思うんです

シャツにソース？　歯にアオノリ？
諸行無常の人生です　Show Must Go Onの人生です
アオノリは取りゃいい　ソースは洗やぁいい
今夜ダメなら　もっとシゴきゃいい
お願いしますよ

16 NOKKO

ライブの前に（本番五分前）

さっきのデリに　入ってた
チキンの煮物が　すごく美味しくて
ギターの分まで　もらったけれど
たぶん　それについてたアオノリ
そう　それが歯についてるの

あたし大きく　笑うでしょ
そしたらこれは　目立つわね
今夜は箱も大きいし　ビデオクルーも入ってる
近くで撮るし　このアオノリ目立つよね
どうしようかな　どうしよう
今なら簡単に取れるけど
ちょっとみんなを　驚かせたいかも

あなた　アオノリ持ってない？
いつもマイアオノリ瓶　持ってるよね
ちょっとそれ貸して　うんありがとう
ほら一枚　二枚じゃ半端でしょ
あたし　ポップロックのクイーンだし
前歯全部に　アオノリってどお？
こんなのマドンナも　やってないよね
え？　コートニーがやってた
じゃあたしは二番目ね

17　尾崎豊

1
忌野清志郎
2
椎名林檎
3
奥田民生
4
セカオワ
5
aiko
6
井上陽水
7
米津玄師
8
槇原敬之
9
スガシカオ
10
木村カエラ
11
星野源
12
ミスチル
13
YUKI
14
吉田拓郎
15
B'z
16
NOKKO
17
尾崎豊
18
スピッツ
19
ブルーハーツ
20
西野カナ

青い烙印

俺たちは自由になるため
歯に青い烙印を押されてきた
不自由な大人たちの
言い訳を削除するたび
青い烙印は増えていった
声なき叫びを涙を　何千何万見聞きした
真実を求める人たちを　何千何万通り過ぎた

なぜ　俺たちは笑えないんだろう　心の底から
きっとその青い烙印が　微笑むのを
拒絶している　邪魔してるんだ
なぁ　俺たちの歯には　何かついてるかい
なぁ　俺たちの口元は　引きつってるかい
教えてくれよ　青い海苔の烙印よ
どのくらい舞い散れば　お前は満足なのか
俺たちは笑えるのか　歯を見せあえるのか
わからないんだ　お好み焼きの返しどきさえも

18 スピッツ

べにしょうが

べにしょうがを食べたい
べにしょうがを食べたいんだ
焼きそばにたっぷり乗せて
青のりをかけたい
歯にべったりつくくらい
青のりをかけたいんだ
べにしょうがと補色対比の
青のりを

おかかをかけたい
おかかをかけたいんだ
お好み焼きには　おかかをかけたいんだ
青のりも乗せたい
歯茎にもべったりつくくらい
青のりを乗せたいんだ
お好み焼きの生地に踊る
青のりを

べにしょうがを食べたい

19 THE BLUE HEARTS

ロボットノ涙

新しいロボットが　届いたよ
包みを開けると　君がいた
何ができるのか　説明書には
焼きそば　タコ焼き　お好み焼きと　書かれてた

アオノリついてる前歯を押すと　焼きそば作ります
アオノリついてる奥歯を押すと　タコ焼き作ります
アオノリついてる八重歯を押すと　お好み焼き作ります
そしてアオノリついてる差し歯は　押さないで下さい

僕は最初の　前歯を押した
君は油をひいて　焼きそばを作り出した
濃厚ソースにアオノリたくさん振り入れて
僕は次の　奥歯を押した
君は油をひいて　タコ焼きを作り出した
大きなタコにアオノリたくさん振り入れて
僕は次の　八重歯を押した
君は油をひいて　お好み焼きを作り出した
カツオブシとアオノリたくさん振り入れて
僕は最後の　差し歯を押した
君は引《ひ》き鉄《かね》ひいて　自分を銃で撃って殺した
アオノリノ涙を　たくさん流して

20 西野カナ

ハッピィ・ソース・プ〜ン

君とつまらないことで　ケンカした帰り道
懐かしい香りに　誘われて
知らない路地に　迷い込んだよ
そこは　夜店の露店のパラダイス
キャッキャッ　子供達がはしゃいでる

焼きそば　たこ焼き　お好み焼き
小さい頃は　この匂いだけで
なぜだろう　幸せになれたよね
歯に青のりくっつけて
子供達が　鬼ごっこしてる
私も思わず　たこ焼き頬張ってみた
美味しいねって笑ったら
青のりついてるよって　子供が笑った

なんかそれだけで　満ち足りて
心が優しく　なっていく
さっきはごめんねって　君にLINEしたら
悪かったって同時に　君からLINEが来たよ
この瞬間　このひととき
そうだよ　大切なことを忘れてた
私のハッピィ・ソース・プ〜ン

［状況4］
もしあのBIGアーティストが［ゴキブリ退治の］歌詞を書いたら

［状況4］のイメージテキスト

ゴキブリが現れて退治にドタバタ

駅からの帰り道、見知らぬ若い女性が自分にいきなり抱きついてきました。

「助けてください！」あまりの急な展開に呆然としましたがそこは正義感、毅然とした態度で「どうしました!?」と答えます。

「家にゴキブリがいるんです、お願いです。殺してください！」

「ええっ！　ゴキブリ！」

躊躇しましたが、彼女は涙目で僕に訴え、しかも結構可愛いのです。

任せてください！　そう言いかけましたがこれは何かの策略か？　美人局《つつもたせ》か？　半ば強引に腕を取られ、彼女の部屋に。

部屋に入ると、彼女はドアの鍵をかけ……。

1　忌野清志郎

もがいてMove〜ホイホイの窓から

拘束された　ゴッキーが束になって
粘着床を　揺さぶってんだ
ホイホイには気をつけろ　長老の言いつけを
守らなかったくせに　今んなって
何にも守れやしねぇ

巣の子たちにはロケンロール
巣立つ奴にはブルースを
チャバネ焦がして　チャバネ痛めて
そして俺は　途方にくれる

もがいてMove　前へ後ろへ
もがいてMove　東へ西へ
進化も退化も　ホイホイには意味ない
守るも散るも　ホイホイには同じこと
More Got Get（もがけ）　More Got Get（もがけ）
もがいてMove

2　椎名林檎

Kissで殺して

抗って　髪を振り乱したら
テーブルの上に　押し倒して
床を這いずる黒蟲に　背徳の愛を
噴霧器のように　射精して
憎しみを　貪り食った　その身体
あたしの一部に　おなりなさい

真夜中の厨《くりや》で　大立ち回りの一幕を
黒蟲達は　Viciousのような甲冑出立《かつちゆういでたち》
けれど　終いは茶番劇
紙細工の粘着室　怪しい臭いが招く行進
戦記の中へと　消えるでせう

さぁ　溜飲下がると思いきや
二人の愛撫を　見つめる触角
最後の黒蟲　隙間に蠢《うごめ》く
あたしの唇　含ませといた毒針を
Kissのように投げませう
さ　あとは貴方のイナゴで抱いとくれ

3　奥田民生

コロップの栓

何度試しても　頭がつかえて出られない
居心地のいい台所で　ぬくぬくと
運動もせずに　一冬過ごしてしまった
あの怠惰のせいなのね　どうしよう
このままでは　餓死してしまうわ
なんとかせねば

幸い私には　羽根があるのよ飛べるのよ
助走をつけてと　ぐわっ　助走も
体がつっかえできないのか
焦るぜ　焦る　漆黒のボディが揺れる

Ah　仲間たちと　遊んだ夏が懐かしい
Ah　スリリングで　ファンキーな
台所を舞台にした　コンバットな日々に
もう一度　戻れないものか
ま　ここにいれば捕まらないけど

もし藤子・F・不二雄がセカオワを描いたら

…を田中圭一が描いたら

レモンの剣

僕を毎夜苦しめる　悪夢はね
決して人には　話せない
漆黒の　闇の世界の　夢なんだ
黒蟲軍団が　無数に僕らの
夢や希望を　食い尽くす

そこでは　黒蟲軍団は
この世界を　支配して
人類を奴隷に　してるんだ
反乱したい　僕だけど
夢の中でも　勇気がないんだ
奴らの　黒い威圧感に
いつも　尻込みしてしまう

その時　ママの声がした
このままじゃダメ　戦うのよと
僕にレモンの　剣を授けた
不思議な力を　手にした僕は
黒蟲軍団に　立ち向かったよ
奴らは息が　出来なくなって
僕の夢から　消えたのさ
翌朝　僕はすっきり目覚めた
枕元には　徳用ママレモンが

5　aiko

大キライ

あの人のことを　大キライなあの黒い虫に
たとえてみた　そうすればこの胸の痛みも
少しは炭酸飲料を　飲んだみたいに
喉から気泡になって　消えるかな
けれどあたしはまた　黒い虫にやられちゃう
思い出すのをやめようと　思えば思うほど
黒い虫はあたしの頭から　離れない
一匹が二匹になって　十匹が百匹になって
どんどん増えて　黒い虫は消えてくれない

なんで優しくなかった　あの人の
記憶だけが　優しいんだろう
なんで嫌いな　黒い虫じゃなくて
好きな黒い虫に　すり替わるんだろう
胸を見せるより　胸の内を見せる方が
恥ずかしかった　逃げたかったのに

いつか私の心が　この苦しみを
超えていけますように
あなたの心があの人の　粘着シートに
取られて　ポイッて捨てられますように

嫌われる理由

黒い夢は嫌われます
黒いドレスは愛されますが
黒い闇は嫌われます
黒いダイヤは愛されますが
黒い羽根蟲は嫌われます
何故なんでしょうね
存在を野卑して死にゆくだけなのに

黒い雨は嫌われます
黒い真珠は愛されますが
黒い疑惑は嫌われます
黒い珈琲は愛されますが
黒い羽根蟲は嫌われます
理由などあるんですかね
何も残せず思考せず死にゆくだけなのに

黒い夢は嫌われます
黒いドレスは愛されますが
黒い羽根蟲は嫌われます

7　米津玄師

Tokyo Black Creature

週末　夜の街を　徘徊　爽快
妙に馴れ馴れしい　女の声が
俺に絡みついて　緊張る《キンチヨー》
夢や希望が　黒羽広げて
異形の如く　飛んでいく

所詮この世は　黒蟲天国
絶滅不可能　Black Creature
未来　将来　がなりたいだけ
価値も　付加価値　駆除　苦情
踊り続けるBlack Creature

今晩どうよの　コンバット
覚束ないのさ　黒蟲ジェット
南に行くほど　巨大と聞くぜ
錯乱してる　人はホイホイ
黒蟲の群れは　光に追われて
狂い咲くよな　サンダーロード

永遠にこの世は　黒蟲天国
捕獲不可能　Black Creature
チャバネ　クロバネ　粘りたいのさ
リズム　理詰めの　隙間生命体
踊り続けるBlack Creature

8 槇原敬之

ゴキジャズ・バンド

熱帯夜　誰もいない真夜中のキッチン
食べかす　残り物が床に落ちてる
そこは僕らの　パラダイス
今夜の準備に　取りかかろう

黒いスーツに　チャバネクタイ
触角を　弓のように扱えば
ヴァイオリンも　ウッドベースも弾けちゃうもんね
ドラムは床を　ブラシでスイング
みんなの羽根で　Clap Your Hands!
さぁ　Partyの始まりだ
僕らは　ゴキゲンなジャズバンド
ゴキジャズ・バンドの　ライブへよーこそ

レディキラーのフマキラー
今夜も色っぽいピアノで産卵させてよ
顔が赤らむアースレッド
マイルスばりのペットで繁殖力アップよ
のけぞり野郎のエアゾール
泣かせるギターはホイホイに消えた
仲間たちへのレクイエム
さぁ　朝までPartyは続くよ
僕らは　ゴキゲンなジャズバンド
ゴキジャズ・バンドの　ライブへよーこそ

9　スガシカオ

ゴキノユメ

たぶんこれは　夢なんだが
アヘン窟のような　怪しげな
裏路地を　闊歩してたら
ちょっといい女に　呼び止められた

そこで僕は　頼まれるんだ
彼女の部屋のゴキブリを　退治してくれと
けれどこれは　ヤバい罠だろ
そうだろ　ホンキートンクなビジネス
誰もがそう　思うじゃないか
でもね僕は　部屋に行ったんだ

ゴキブリじゃねえよ！
ジャバ・ザ・ハットみたいな　薄気味悪い親玉が
たわわな美女を鎖で繋ぎ　僕を殺せと叫んでる
僕は背中にしょったテレキャスター型の
マシンガンで応戦した　そいつらをみんな撃ち殺し
囚われてた美女は　解放したよ

けれどおかしい　夢から覚めないんだ
この部屋から　抜け出せないんだ
アヘンの匂いが　甘いこの部屋で
僕は彼女の　番犬になることにした
会社はしばらく　休むことにして　もちろん有休でね

I♡Rock

ザ・ユーズド、ジミ・ヘンドリックス、ランシド、
U2、ザ・ゲットアップ・キッズ、レッチリ、
ザ・ラプチャー、クイーン、キンクス、ザ・フー、
ビースティ・ボーイズ、ブロンディー
I Love Rock Music
But I Don't Like　黒いゴッキー
Living In The Kitchen　黒いゴッキー
Kill Bill!　Kill Bill!　Kill Bill!　黒いゴッキー

ヴェルヴェット・アンダーグラウンド、ステイシーQ、
レッド・ツェッペリン、アヴリル・ラヴィーン、
ジョーン・ジェット、セックス・ピストルズ、
クラッシュ、ザ・キュアー、ビョーク、ベック
I Love Rock Music
But I Don't Like　黒いゴッキー
Living In Around The Water　黒いゴッキー
Kill Bill!　Kill Bill!　Kill Bill!　黒いゴッキー
But They Are　なかなかStrongなの

11　星野源

バカボンのパパ

たとえゴキブリでも
生きとし生けるもの　殺生はいかん
夫婦の生活に　恩恵がなくても
ゴキブリにもゴキブリなりの　理念や
信念があるはず

でも断りもなく　台所で
あの黒光りを見せられて
ゴキブリなのだ　これでいいのだなんて
僕には言えない　言えないのだ

朝起きて　飯食って糞をして
僕らも大して　変わらない生活
ゴキブリの何が嫌なのか　お茶を淹れて考える
バカボンのパパの　ヒゲみたいな
存在だよと　考えたらやり過ごせないかな
なくてもいいけど　実害はないじゃないですか
ねえ君　ダメですか　そう聞いたら
君は首を　高速に振った

わかったわかった　バルサンを焚くよ
これでいいのだ

ほうさん

何だってそうさ　意味のないものはない
ねぇ　ぞうさんの鼻はなぜ長いの
母さんも長いからなの
母親からの遺伝だけでは説明できないはずさ
そこにはぞうさんだけの深遠な理由があるんだよ
じゃ　ほうさんは何のために生まれたの
団子にされ黒い羽根蟲に与えられるためなの
殺戮の片棒を担ぐためにこの世界で生まれたの

その物質は僕の前で黙して何も語らない
丸いほうさんは艶々した球体を僕に向け
生まれてきた理由さえ今はわからないと泣いていた
洗剤になる？　肥料になる？　建築資材になる？
地質の中でほうさんは細やかな夢を見てた
でも採掘され　加工され　商品化された
パッケージには黒い羽根蟲退治に最適
黒い羽根蟲を駆除　全滅　皆殺し　壊滅と
夢見ていた世界の言葉とは全く違う
非情な売り文句が連呼され印刷されていた

君にお願いがある　家の片隅にホウ酸ダンゴを
黒い羽根蟲の通り道に置くときに
お前が生まれた意味はちゃんとあるんだよと
優しく語りかけて置いてほしい　それが君の詩なんだと

13 YUKI

1
忌野清志郎
2
椎名林檎
3
奥田民生
4
セカオワ
5
aiko
6
井上陽水
7
米津玄師
8
槇原敬之
9
スガシカオ
10
木村カエラ
11
星野源
12
ミスチル
13
YUKI
14
吉田拓郎
15
B'z
16
NOKKO
17
尾崎豊
18
スピッツ
19
ブルーハーツ
20
西野カナ

はんぶんこ

もしも世界がパカッて　半分になったら
私はどちらに行こうかな
大っ嫌いな　あの黒い虫のやつらが
いない半分に　行こうかな
でもきっとそこは　美味しい店があったりする
あいつらも　美味しいものが好きだから

なら　あいつらのいない　海がある半分に
ひとまず行くとしよう
もう半分に　超巨大アースレッドを仕掛けて
ハーフ地球が　霧で真っ赤になるのを
海辺でぼんやり　眺めるの

一晩たって　あいつらが死に絶えたら
もう半分に　移り住もう
そこで　生き残ったあいつらと会ったりして
でも　そいつらはいい奴らだったりして
あたしと　結構気があったりして
じゃあ　共存てことになったりして
なあんだ　結局はんぶんこしても
変わらないじゃん

14 吉田拓郎

あんた

ゴキブリみたいな　男のあんたに
惚れてもうたんよ　あたい
黒い単車で　汚れた街を
誰にも捕まらんと　走るあんたを
街のみんなは　ゴキブリみたいな男と
噂しよったんよ　しよったんよ

そんなあんたに　なんで惚れたんか
そんなあんたに　なんで抱かれたんか
今となっては　どうでもいいんよ
覚えているのは　あの夜に
あんたが単車で　死んだこと
マッポに追われて　ゴキブリみたいに
黒く焦げて　死んじまったんよ

あたしもあんたの　後を追おうと
命を絶とうと　したんやけ
でもお腹の　あんたの子が
あたしを止めるんよ　引き止めるんよ
あんたは生きんさいって
ゴキブリじゃなく人として
生きんさいって
叫ぶんよ　叫ぶんよ
うち　生きることに決めたんよ

15　B'z

奴は世界のGo-Key-Breed

あてなく街を　彷徨ったのさ
むしゃくしゃするよ　蒸し風呂Summer
絡みつくよな　細い触角が手招くよ
奴は世界のGo-Key-Breed
人が恐れて　そりゃ当たり前だのCrack Car
有史以来のパイセンなんだぜ
奴は世界のGo-Key Breed
黒い鎧に守られた　繁殖能力神がかり
EDなんて知らねえな　しくじらない先生なんだ

Go-Key-Jetで世界征服　寒いとこはNo Thank You
Ho-Sun団子の雨あられ　そうさバルサン
闘い抜くぜ　チャバネ　アカバネ　アルカポネ

Go-Key-Breed Hoy! Hoy! Hoy! Hoy!
奴は世界のGo-Key Breed
嫌われたって構わない　捕らわれたって構わない
そうさ世界のGo-Key Breed
Hoy! Hoy! Hoy! Hoy!
（Hoy! Hoy! Hoy! Hoy!）
Hoy! Hoy! Hoy! Hoy!
（Hoy! Hoy! Hoy! Hoy!）
来年の夏　また会いましょう

16 NOKKO

Sweet Home Hero

ママVSゴッキーの　ひと夏勝負
毎年　我が家で繰り広げてた
梅雨時オモテ　先制攻撃はバルサンで
ママが奴らに　マウントするの
でもね　奴らもしたたかで
くたばったふりして　出てくるのよ

My Sweet Home Hero
ママが負けるなんて　ありえない
不可能を　可能にするHero
家計も家事も　駆除も完璧
夏の甲子園みたく　キッチンに
コンバットマーチが　鳴り響くのよ

My Sweet Home Hero
ゴッキーが優勝なんて　ありえない
我が家のママは　勝ち進むHero
炊事も洗濯も　駆除もシャットアウト
夏の甲子園みたく　ゴッキー学園は
ホウ酸ボールで　ストラックアウトなの

17 尾崎豊

ダイナー

薄汚れたダイナーの床を
黒い虫ケラが這っている
こいつらも　夢を見ているのだろうか

あのままでいたかった　変わらずにいたかった
けれど時は許さない　俺は行かなくちゃ
この黒い虫ケラどもが　捕まってる
紙で出来てる粘着ハウス　まるで昨日まで
俺がジタバタしていた　この街みたいだ

そこから俺は旅立つのさ
ちっぽけな知らない景色の中　走り続ける日々が
未来なのか不安なのか　俺もわからないけど
黒い虫ケラではなく　俺は俺として這いずるよ
仲間達よ　時々遠くから
答えてくれよ　教えてくれよ
こんな風に生きてる俺に
いいさ　いいよと　笑ってくれよ
お前は黒い　虫ケラじゃない
社会のルールを　自ら駆除した
黒光りした　希望なんだと

18 スピッツ

わんぱくアドルフ

人が生まれる　遥か昔
たいそう栄えた　その国は
黒い羽根蟲の　国でした
王は独裁　ブカブカの冠かぶり
まるで　かわいいアドルフ

新しい法律　勝手に作り
逆らう蟲《やつ》は
殺虫剤の　ガス室送り
予言蟲で周りを　固め
悪いこと　言わせない
僕だけに　明るい未来

この国が　終わる時も
自分だけ　生き残る
分厚い　シェルターなら
フマキラーも　平気さ
かわいい黒い瞳　ブカブカの冠が
お茶目でしょ　僕はアドルフ

19 THE BLUE HEARTS

ゴキとダンス

宣言します
僕はゴキブリを殺しません！
殺さないで生きていこう
殺されないで生きていこう
捕まらないで生きていこう
捕まえないで生きていこう

僕たちが　生まれる前に
流行ったリズム
僕たちが　生まれる前から
生きてるゴキブリ
知らないステップで踊ればいい
生きてるゴキブリと踊ればいい

肌の色で区別しないで
黒でも茶色でもわかり合おう
催涙弾とかバルサンとか
彼らの行進に投げないでください
いつか君らとつなげたら
ギザギザお手手とつなげたら
きっと地球は汚れたキッチンみたく
彼らが住みやすくなると思うんです
僕はゴキブリを殺しません！

20 西野カナ

シュッ

コックローチを　シュッとひと吹き
嫌いなあなたと　もうさよならです
逢いたくない　逢いたくない
逢ったら　震えてしまいます
それほど　逢いたくないんです

君との思い出は　消えないで
シュッてひと吹き　しませんよ
あくまでも　嫌いなあなたにシュッします
だって私の　キッチンに
あなたを　招待した記憶なんてないんです

隙間であなたを見かけたらシュッ
冷蔵庫の裏で見かけたらシュッ
ガス台の下で見かけたらシュッ
ゴミ箱の蓋の裏で見かけたらシュッ
洗濯機の排水口で見かけたらシュッ
玄関で見かけたらシュッ
トイレで見かけたらシュッ
風呂場で見かけたらシュッ
シュッシュッシュッ
シュッシュッシュッ
シュッシュッシュッ
なんか楽しくなってきました

アーティスト別　歌詞分析20

アーティスト別
歌詞分析 1／忌野清志郎

[使われそうなワード＆センテンス]

baby・ふざけんじゃねぇよ・株券はいらない・あの子は僕が好きなんだ・事情が事情・アレがコレで・もう一度、目の前で笑っておくれ・政治家・ギターケースの中には山ほどのtimer・東の果てで僕が哀しみに胸を痛めれば、西の何処かで君の心がかすかに疼くだろう・孤独が一瞬消えたんだ・弱賛成・自分らしさ元気です・たとえ君が下手くそな絵を描いても・革マル派・バリケード・火炎瓶・あの子とやりたかった・火のないところにもケムリは立つものさ・カーステレオ・マーヴィンのバラード・Mercy Mercy Me・本当かい？　これでいいのかい・僕は犬の言葉がわかる、だって僕は犬だから・寂しくない、寂しくない、でも少し寂しい・君の声が好きだ・世界中がシーンとした・僕の夢はもっと素晴らしいのに・免停100年・あんなにも泣けたら、こんなには何も失くさない僕で・花になるよりも茎になりたい・メンフィスの雨は僕の心をカラッとさせた・くだらないリズム・ちっぽけなエンブレム・ちょっと待ってくれ・いいじゃん別に・怖いものはない・Fuck You・裏切り者・わるい企み

［作品の傾向］

- 蓄膿症から原発まで詞世界の懐の広さは群を抜く。
- フォーク期、ロック期、R&B期などに分類される。
- いずれもエッジが効いた言葉を多用。放送禁止歌も多い。
- しかし、ユーモアを切らさないのも長く愛される所以であろう。
- 僕がSMAPに書いた「俺たちに明日はある」はRCサクセションの「雨あがりの夜空に」がモチーフになっている。歌詞の「バラの花束」はショーケンの「傷だらけの天使」からだが。

［創作のキモ］

- たとえば、権力者より非権力者、最先端より時代遅れ、優秀よりポンコツ、偽善者より誠実というように、ある種ルーザーの観点から歌詞を構築していくとシズル感が得られる。
- 名曲「スローバラード」で、冒頭の市営グランドという言葉が非常に意味を持つのもそれである。
- もちろんbabyを連呼すればそれ風にはなるのだが、「baby#1」と歌う歌詞がサマになるのは彼だけである。

［類型アーティスト］

古井戸、どんと（ボ・ガンボス）

井上陽水（「氷の世界」まで）

JAGATARA、INU

アーティスト別
歌詞分析 2／椎名林檎

[使われそうなワード&センテンス]

着床・強い無意識・誘惑、思惑、疑惑の嵐・僕のアングルに君を閉じ込めて愛したい・部屋の壁一面君だけのフォトグラフ・神秘と狂気の二重奏・ソドムの林檎を口にした方がお互いのSlaveに成り下がる・混沌を抱きしめ人は生まれる・情炎に焦がされ常識は焦らされる・不揃いな愛の術・マテリアルは剥き出し・苦悶は愛のDoor・少し扇情的な眼差し・劣情にほだされ情緒は乱される・苦悶に歪むDoll・被写体をずっと見つめている・盗み見る君の日常・不条理・極楽恋模様・床の上のソウル・聖杯に注ぐ絶望のワイン・慟哭のナイフよ・悲しみのドレスで踊りましょう・抱き合うことで知る慟哭など容易い・Collection 私が知らないあなたを全て知り尽くしたい 私が知らないあなたを全て集めたい・あなたの羽根はピンで留まった私のCollection・脱げない自意識が過剰な胸・抱きしめ合うから嘘が生まれる・確かなものなんてない、全て幻想・偽物でも奪い合う・ピンク映画・個室喫茶・ゴールデン街・冷凍保存・安っぽい上昇志向・プルシァンブルーの唇・感情の向こう側

[作品の傾向]

- 扇情的で背徳、神秘的で物憂げ、ノスタルジックでエロチック。
- 独特の詞風は、センテンスとセンテンスの飛び方や距離間が、邦楽ではなく洋楽的なリリックに感じさせる。
- パンクやブリットポップ、グランジやオルタナの歌詞感をリアルに訴求し、説明不十分な歌世界を完璧に提供している。
- 「君が代」は忌野清志郎も取り上げているが、アプローチのしかたがまったく違うのも興味深い。

[創作のキモ]

- 一昔前の日活やＡＴＧ映画のようなマイナーな物語を根幹に敷き、そこに歌詞を投影させると雰囲気が出る。
- または昭和歌謡の名曲を無作為に選んで、彼女の言語で再構築していく試みも一考してみたい。
- その際に、旧仮名遣いや旧字などでわざと難解にしていく工夫も忘れてはならない。
- 説明しないという、エンタメ的に正しい不親切。Ｊ－ＰＯＰ的な概念から逸脱していく感覚が求められる。

[類型アーティスト]

EGO-WRAPPIN'

BLANKEY JET CITY

ニルヴァーナ

アーティスト別
歌詞分析 3／奥田民生

［使われそうなワード＆センテンス］

セロリとグリーンピースは食べなきゃ・向いてるかもね・開店休業・二人なら今週はとりあえず大丈夫・区役所・明日にしよう・不思議な訛り・そこらの枯れ木・楽勝・転勤・サラリーマン・日々上々・チャリンコ泥棒・風呂に入って寝るだけ・偉大な地位・少しゆっくり話そう・僕らの街・今年も終わるけどそういうことだ・人の背中に歴史あり・誰でもつらいのね・シビアに気楽に・土曜日なんて来るわけない・寝ている間に偉くなりたい・たぶん楽したいのです・だけど誰にも言えません・怖がるお人・この街は変だ・涙ふた粒・ああ誰に似たのやら・社内恋愛しゃーない恋愛・常識しかり標識しかり八つ当たり・ゴタゴタ慌てる・僕は床についた・無理やり起きた・二度寝・仕事を選ぶ・なのである・カラダの調子・今日はどうかな・コーヒーをスプーンでかき回してたら目が回った・待ってるぜ・白衣のマドンナ・するもんね・君の未来が気がかりだ・花はなんでも何の花・シャンプー三つ買う贅沢・求めないなら僕はいくよ・黒船・ナイター中継・たまには会おうよ・栄光はつかの間だが無名は永遠・無理だ

［作品の傾向］

・独特のネジれた視点からごくありふれた日常を特異な表現で描いている。
・XTCなど海外のアーティストの、シュールでリアリティ溢れる詩世界からも影響を受けていると思われる。
・サラリーマンの世界や転勤、住宅ローンなどを、初めて日本のロック界の歌詞に持ち込んだのも彼。
・気持ちよく、いい加減な詩風は往年の植木等をも想起させる。
・ちなみに、SMAPの歌詞世界の30%は奥田民生でできている。

［創作のキモ］

・人が書くのをためらうようなネタでも前向きに、ウイットを盛り込みつつ取り上げる。
・仏滅、一家離散、燃えないゴミの日、隣の課に入ったボイン、値上げ商戦なども、詞のモチーフにできる。
・ただ貧乏くさく、説教くさくならないよう、あくまでもセンスのいい遠吠えに仕立てて表現する。ちなみに、僕がコピーライター時代に書いた、ユニコーンのツアー広告のキャッチコピーは「過労死」。

［類型アーティスト］

Syrup16g、真心ブラザーズ
フラワーカンパニーズ
ザ・コレクターズ、XTC

アーティスト別 歌詞分析 4 ／ SEKAI NO OWARI

[使われそうなワード＆センテンス]

時の果てまで連れて行こう・僕が星になるまでそばにいるよ・夜空の片隅に浮かんだ僕の思い・One More Angel・劣情にほだされ情緒は乱され・世界中、敵に回す君と僕・最後の夜・思い出たちは僕らを救うだろうか・天使に召されますか・汚れない微笑み・僕には傷つく勇気もない・甘いキャンディは救世主を探してる・薪が一本燃やされたら、切り出された森の美しさを想おう・月のそばで輝く星、まるでそれは月のピアス・終わりのない世界だから・くじけることのない世界へ・間違い探しのこの世界・優しく揺れてる幻を見てた・世界中、映す鏡あったなら憎しみが映りますか？　愛ですか？・満たされないカップひとつ持って・生きることを素敵と感じることは罪なんかじゃない・旗を振って・昨日は歴史、今日は真実、明日は未来・幾千の場面がひとつだけの世界へ・限りない思いがひとつだけの宇宙へ・日時計だけが宇宙の神秘・月の裏側、歴史の果てへ・何億光年さまよった二人・タイタン・ロザリンド・ビアンカ・コーデリア・ベリンダ・オベリスク・干し草の上に落ちてた星のかけら・刺す

［作品の傾向］

- ＴＶゲームに明け暮れる、厨二病の世界と一見誤解されそうだが、それを隠れ蓑にした深遠な表現を併せ持つ。
- 宇宙に特化したシチュエーションに限らない。
- 10代の深層心理に及ぶ毒をモチーフに、日常の怖い瞬間を切り取って表現したりと、したたかである。
- 甘いメロディに騙されて毒を摂取しすぎる危険があるが、全体的にポジティブなので安全である。

［創作のキモ］

- 10代から大人へと進む階段での出来事、そこに自己を投影させるのはミスチルと同じである。
- だが、こちらのほうが威嚇的な表現は控えめ。
- ただ、羊の皮をかぶった言葉や構造を用意することで、どんでん返しに。
- たとえばクラスで起きた猟奇的な事件を本人目線で語っていた人物が実は真犯人であった、みたいな。
- その時にこの甘いメロディは十分、毒になる。

［類型アーティスト］

家入レオ

レミオロメン

UNISON SQUARE GARDEN

アーティスト別

歌詞分析 5／aiko

[使われそうなワード&センテンス]

1秒ごとに好きになる・恋の法則・誰かのために揺らす心・シジミチョウ・あたし・あなた・肩・あたしが手放した愛が目の前に座ってる・間に合わないあたしの恋・いつだって聞き逃す人・頭抱えて苦笑いしてる・やり場のない新聞・何も言えずにそこにいた・書きなぐるようにメモして・いくつもいくつも膨らんで・冷たい階段にひとり座って・ポケットの錆びた鍵・不公平と思った・あたしの憂鬱はあの子の優越・恋は気難しいボールばかり投げてくる・薄っぺらいカーテンみたいなあたしの心・生まれてこわれてまた生まれて・恋のテンマツ・借り物の舌で自分に暗示をかける・ありったけのガラクタ・座り心地のわるい椅子・不安な空気を食べながら・嘘だよ本当はここにいたい・しゃがみこんだあなたの影・恋愛を発作する九月の風・ポケットの中で手をつないだ・重ねた嘘もほころんだら、切り傷みたいに気になってくる・優しさは時に胸にいたいけど・頭で言葉選ぶのは、ひとつ嘘をつくようなもの・電線のない空まで行きたいよ・あなたの心の切れ端を・誰かが忘れた子守唄のよう揺れてる・洗濯風

[作品の傾向]

◆ドリカムとの相違点はスネに傷があるかないか、つまり恋愛においての苦労度である。

◆そういった点において詩風は荒井由実時代のユーミンに近い。

◆荒井由実が厭世観を持つ代わりに、彼女は小柄観（筆者の造語）を持つ。見上げた恋人の肩や背中や前髪など小柄（152㎝）ならではの観点から恋を謳う。

◆逆に想像してほしい、カブトムシを歌う和田アキ子（174㎝）を……違和感である。

[創作のキモ]

◆小柄観ということで、歌詞世界を少し低い視点から捉えてみる。

◆恋人の指先、つま先、口元、背中など。

◆距離感が違えば見え方も違ってくるはずだ。

◆また、抱きしめられた時も相手が少しかがんでくれるので、肩先から見える景色も考えてみたい。

◆あとは軽い呪いのような、ロマンチックでかわいい恨み節を加味すると、より作風に近づくと思われる。

[類型アーティスト]

荒井由実

小島麻由美

早瀬優香子

アーティスト別 歌詞分析 6／井上陽水

[使われそうなワード＆センテンス]

真実を隠し、嘘も美しい・無責任な男と厚顔の女・どこまでHeavenか見えなくて・ロマンチックな犯罪・おとなしい障害・悩んでいるようで悩ませている・理性と野性、素敵が無敵・あなたに駆り立てられ、魅かれ続ける・まるで世界が終わるため息の後・愛の常識など私にはありません・懐かしむほど遠くない、ただ今に向かっているのです・分別は臆病の言い訳にすぎません・月が満ちかけると孤独な引力が人を狂わせ罪に誘う・鳥かごの自由、傷だらけのハッピーエンド・運命をいつも操って・永遠の嘘さえ見破ってしまう・あなたと僕、愛の深海、声を潜め抱きしめ合う・明日はハレルヤ、フラレルヤ・赤でも渡れる信号・少年の白いスニーカー・南極大陸にいるペンギンは今ごろ・知人薄命・ヤカンが口笛吹けばリプトンが踊る・名前なんかただの飾り・少年犯罪・今日もテレビは討論を続ける・華やかな行動心理・誰もが耽美を欲しくなる・英雄願望と妄想主義者・アンタイトルなドキュメント・僕の好きな韻律・宇宙色のスニーカー・辛辣な世の中は真実を嫌う・現実の影の中、夢は続く

[作品の傾向]

- 余白を感じさせる歌詞では唯一無二ではないか。
- ネガティブに近いポジティブ、ポジティブに近いネガティブ、色にたとえると中間色のような色合いである。
- 哲学であるしシニカルであるし、ロマンチックであるしコミカルでもある。
- 非常に英訳が難しい歌詞という話を聞いたことがあるが、そうだろうと思う。このままでいい、いっそ、はっきりさせる必要がない詩風なのである。

[創作のキモ]

- 洋楽にアシッドフォークなる分野がある。要するに一発キメてアコギを弾いたような曲調なのだが、彼の詩風をなぞる手法としても有効である。もちろんイメージの話だが、そういった浮遊感覚を用いて歌詞を構成していく。
- 表現が着地する前にまた離陸する、そんな作業をくり返すうちに行が埋まっていく。
- 一時期、忌野清志郎と共作していたのは、アシッド感覚が近かったのかも。

[類型アーティスト]

鷹魚剛

友川カズキ

早川義夫

アーティスト別 歌詞分析 7／米津玄師

[使われそうなワード＆センテンス]

赤い夜の絨毯・柔らかくただそこにいた・夜空は水のように澄みきっていた・強く願う我・僕らは愛を学べば良い・幾千の誓い・わたしゃ気ままな風になる・孤独だけを胸で飼ってる・覚束ない・拙者・巡り逢う・せつないけれど本当さ・踊り狂う亡霊・解き放つ・つむじ風・垂れ流す・更地の回転ドア・モラリティ インモラル セキュリティ・知性教養 コスモポリタン・Unbalance Untitle・黄泉がえり・すべるように愛し合う・砂の舟と気づかずに・何様 俺様 この有り様・誰もが刹那を欲しくなる・まだ旅立ってもいないのに・必然、偶然、奇跡と運命が混ざる・穏やかな平和とそうじゃない平和があることを知った・昔は二十歳で感じたことを僕らは十五で感じてしまう・時には一つの言葉のために・出かけようさ、生まれようさ・ぎこちないけど伝えたいこと言葉選び話そうとしたよ・憂い秘めても始まる旅だろう・言葉はやましさがいっぱい・あの願いは自分じゃない・なじる時代に焦る世代か・混じる世界に募る期待か・九死に一生・砕け散るような真実を浴びて怪我して構わない

[作品の傾向]

- 体温をあまり感じさせない表現だが、そこはかとない情熱もうかがわせ、なおかつ時代錯誤な不器用さも兼ね備えて訴求する。
- 昨今の日本ロック界に波及する流れを彼も汲んでいる。
- 語呂合わせのラップや、一見古臭い言い回しも、その素養の表出であろう。
- ある種、尾崎豊が登場した時の詞世界とも重なる。ただ、米津は校舎の窓ではなく、自分の心の窓を割った印象であるが。

[創作のキモ]

- 彼の詩世界のポイントで、どこかに行こう、行けない、行ける問題というものがある。
- 要するに、そういうフレーズが多いのだが、これは不確定な行先をちりばめてセンチメンタリズムを訴求する手法と考える。
- モラトリアムと言えなくもないので、モラトリアムの類語・関連語を検索し、その中から無作為に選び詞を構築していくと、それらしい根幹が見えてくるやもしれぬ、ワンワンワンワン。

[類型アーティスト]

BUMP OF CHICKEN

ASIAN KUNG-FU GENERATION

ELLEGARDEN、RADWIMPS

アーティスト別 歌詞分析 8／槇原敬之

[使われそうなワード＆センテンス]

たくさんの言葉が包み込んだ・同窓会の通知・君の声という手にひかれ・帰る場所のない記憶たち・僕の笑顔は散歩に出たまま・岸辺離れた夢たちが魚のように泳いでく・恋をいつから休んでますか・努力の日々はくたびれちゃうけど・正直すぎる二人だった・握りしめた手の中には約束がたくさんある・あきらめの悪いところが持ち味なんだ・二人日和・生活という分からず屋が僕らをしめつける・試されること恐れず新しい場所へ行こう・僕の左の肩にいて欲しかった・渋谷の街も今日はいい風が吹くよ・

二分の一のさみしさの中・週末は髪を切りに行く・僕は課題を提出するのがいつも人より遅れてた・ホームの向こうとこっち側・逢ってる時より想ってます・君とすれ違う休日は約束も昼寝してる・決して譲れない生き方があったね・ささやかだけど自分の道、自転車に乗ってきた感じ・言葉はいつでも想いに足りない・街を捨て書に逃げよう・捨てちゃいけないよ大切なもの・数え切れない気持ちを抱いて僕たちは歩いてきた・君の言葉が優しいメロディのよう響く・渋滞にハマってる僕たちの未来

［作品の傾向］

◆日本のストーリーテラー系シンガーソングライターの第一人者。

◆説明が不得手なフリをして少しわかりづらくする。

◆例「もう恋なんてしないなんて言わないよ絶対」

◆それにより、聴き手の理解をワンテンポ遅らせて、共鳴・感動を増幅させるスキルが詩風にある。

◆彼の説明の上手さの最高峰は「世界に一つだけの花」だと思う。なお、ＳＭＡＰの歌詞世界の30％は槇原敬之でできている。

［創作のキモ］

◆説明の仕方がポイントになってくると思うので、どこを遠回りな内容に脚色するかが大切になる。

◆プロットはシンプルなモノのほうがやりやすい。彼の代表作の一つ「ＳＰＹ」を参照のこと。

◆また、遠近の付け方で歌詞への感情移入も求めやすくなる。

◆郷里から上京した主人公の生活。大学を卒業して社会人になった日々。昔の恋人との思いがけない再会など、距離や時間などで遠近の演出を施したい。

［類型アーティスト］

大江千里、androp

back number

古内東子

アーティスト別 歌詞分析 9／スガシカオ

[使われそうなワード&センテンス]

ホルマリン漬け・月・ファンキーでブルージーな日々・この中に嘘つきがいます・まるで世界は言葉を使い果たしたように黙ってる・細胞膜にくるまって・不安と焦りの副作用・理由のない僕の絵・状況？　今日も変わんない・シリアスでフィクションのムーヴィー・その裏でなんか企んでる・愛想のない僕の影・まだ17歳で憂鬱になる・ギリギリOUTとギリギリSAFE・ギリギリDOUBTとギリギリREAL・逆転のシュートを決めた彼と僕がおんなじ人間なんて思えない・名付けられない情熱が、胸の奥で眠ってる・今んところ状況はそんな感じ・リモコンだらけの部屋で毎日、僕は自分さえ操作できない・Truth Is Not Real・カロリー高そうなジャンクフードたち・喜びの歌も僕には歌う資格がない・文句だとか陰口だとか今の僕に届かないよ・きっと胸にネガティブな虫が巣くってた・もがきながらも泳ぐのがこの街のスタイルさ・最低のかけらを最高にすり替える、見たこともないShow賭けてみる勇気はあるか・たとえ失くした愛情が引き止めたって行くさ・誰にも解けないクイズはもうやめよう

［作品の傾向］

◆ロックを通過していない（ジョン・レノンは除く）アーティストとしての自由律ワードとセンテンスが、種田山頭火のよう。

◆クールでファンクな詩風にＳＭＡＰがハマったのも必然かと。

◆カタカナでタイトルを表記するのが流行ったのも彼からだが、主語ではなく述語をカタカナで表記するセンスは秀逸。

◆ロマン派でもなく象徴主義でもない詩表現は、ビートニクとも受け取れる。

［創作のキモ］

◆プロットの選択は自由であるが、個人の心象風景をモチーフにしたほうが入りやすいと思われる。たとえば、大人数で楽しんだり、その中で自己演出することに長けていない、どちらかというと１人でキャンプしたりするほうが心地いい（ヒロシか）人間を主人公に設定して歌詞を構築していくと捉えやすいかもしれない。相田みつをとは真逆の、一生青春的な思考で書くと雰囲気が出る。

［類型アーティスト］

佐野元春、SUPER BUTTER DOG
アレン・ギンズバーグ
ジャック・ケルアック

アーティスト別 歌詞分析 10／木村カエラ

[使われそうなワード&センテンス]

時計じかけのバービー・とまどい・魔の手・秘密結社・ストレスフリー・空っぽの毎日・ダイエットファイバー・私は私でいい・曖昧Me Mine・Domestic Fantastic・ママの手料理・ファッションの流行・さよなら暗闇・Happy Days・こっちにおいで・自分の危機・求める未来・恋の偏頭痛・モノマネOK・光を放つ・自分のカラダ・毎日のエネルギー・まるごとの気持ち・心地いい言葉・終わりのない答えはない・強い心・なないろの気持ち・hug・おまじない・心の時計の針・めざす理想・不思議な重力・翼をちょうだい・believe・wish upon a star・朝ごはんをちゃんと食べよう・頑張りたいよう・クローズアップ！　ステップアップ！・毎日遊園地・ちちんぷいぷい・輝く新しい明日・街のパワー・シンドローム・グラマラス・夢のシャンデリア・鳴らないオルゴール・めげないぜ・胸の中のシグナル・ワクワクするよ・ハッスル・時々デジャヴー・ひらめいた・映画の真似よバイバイ・私の中の可愛いとこ・組み立てたばかりのプラモデル・Good Idea・うつつをぬかして暮らそうよ

[作品の傾向]

- NOKKOやYUKIやCharaに代表される、女性ポップロックの詩風である。
- しかし彼女の場合、日常というよりファンタジー的な視点から描かれているケースが多い。
- 劣等感の含有量の違いなので一概には言えないのだが、逆にそれが異彩を放っているのかもしれない。
- ポジティブに前向きに言葉を捉えるのはPOPSの王道であるが、邦楽アーティストにしては珍しくアクが強くない。

[創作のキモ]

- このようなことを踏まえていくと、ミュージカルの歌詞を書くつもりでトライすると成立しやすいかもしれない。
- 一見、ファンタジックなシチュエーションは、ミュージカルの場面場面と符合するからだ。
- 前向きに、無垢な気持ちを思い起こして創作する。
- ただ、意外と難しい。前向きでポジティブな詞が難しいのはオザケンも言及している。オザケンのほうがアクも毒も多いのだが。

[類型アーティスト]

鈴木蘭々

Tommy february6

YUKI

アーティスト別 歌詞分析 11／星野源

［使われそうなワード＆センテンス］

土地勘が鈍る・涎・夫婦・愛情が太りすぎてブスになった・サザエさんの街・小さな希望が力尽きようとしている・髪の毛が臭い・気楽なシャツ・他人・冷蔵庫・CHU・パンの耳・筋子・仕事・転職・ちゃぶ台・柱時計・ガス台・領収書・靴下の臭い・時々パンクする・頭のネジ・婚姻届・区役所・職場・惣菜・カラス・守り神・よくぞいらっしゃいました・口が悪い・光が降ってくる・とはいえ・免許なし・風呂場・一日の終わり・生暖かい風・電気スタンド・女将・一緒に死のう・デカパン・緑茶・家族の写真・掃除機・延長コード・圧縮・あなたの中でゆっくり溶ける・昼寝・布団・少し狭いな・まぶた閉じてまぶた開ける その繰り返しで朝は来る・繋がる景色・遠き山々・ひなびた日々の片隅・へっぴり腰・街灯が星の灯りを消した・イメージはつまらない・狐の嫁入り蛇の初夜・はぐれた言葉・待ちわびた懐かしさ・音のしない家の中・想像は身の毛もよだつ・アンプもいらないマイクもいらない・正しく滅びよう・影のない人の街・地獄さまようだけ・時もいつか風になる・曇り空にも太陽はある

［作品の傾向］

- 体温があまり高くない（冷たいわけではない）平熱の言葉を、圧縮したような表現で歌詞として構成している。
- 曲がつき、歌として聴き手の耳に届いた時にそれが解凍される狙いがあると考えられる。
- 文段と文段の飛び方や距離も開くのだが、それでいて邦楽然とした佇まいを残すスタイルは、ほかに類を見ない。
- 詩風は、つげ義春「無能の人」の主人公が石を売る景色に近いかもしれない。

［創作のキモ］

- 昭和を感じられる語彙を用意して、なおかつそれを、庭の飛び石のように配置する作業である。
- 意味が派生するかしないかスレスレのところに石を置く。
- 語彙と語彙の距離が近すぎたら、離したり、庭職人になったつもりで取りかかって頂きたい。
- スケールがあるのかないのか、失礼にあたるのかあたらないのか、孤独なのか孤独じゃないのか、その揺り戻しを楽しんで頂きたい。

［類型アーティスト］

フィッシュマンズ、sumika

サカナクション

細野晴臣

アーティスト別 歌詞分析 12／Mr.Children

［使われそうなワード＆センテンス］

失っても消えやしない・人生・選択肢・自由・若気・夢・出会い・猜疑心・悪戦苦闘・運命・大人・辻褄・自我・名前もない道の上・一切合切・ＬＯＶＥ・単純明快・舗道・羨む・絶望・今日この頃・真実・無名・感情・情緒不安定・踠《もが》いてる・滑稽・プライド・時代・ゴミ・残骸・我が身・社会派・ＴＶ・世代・苦笑・利口・矛盾・Truth・不条理・見えない敵・途方にくれる・犠牲・扉・管理下・How Do You Sleep?・マスコミ・罪・無力・モザイク・美意識・レール・規則・失うこと・喜びと恐れ・幻想・成功・大人気ない・等身大・劣等感・迷路・告げる・あっぱれ・時代錯誤・屈折・絶え間なく・無性に・誓い・国境線・花・荒れ果てた・カテゴリー・弾む鼓動・形式・不吉な占い・陽の当たる場所・恋人同士・旅路・その日までさよなら・複雑・空虚・世界全体の中の自分・無関心でいる・いつだって・むき出し・続いてく・戦場・雄弁・把握・親友・窮屈・人混み・人生観・感情論・我が身・シナリオライター・煩悩青年・鬼さんこちら・勇気のかけらをそっとくれた・いくつかの場面がある

［作品の傾向］

◆メタファーに優れた詩風である。そして、日本人はそれが大好物である。

◆洋楽ではあまりお目にかかれないのだが、韻を踏むことが粋とされる日本文化では、それが常套になる。

◆歌詞は難しいこと&テーマを取り上げるが、きちんと文段と文段が繋がれ、わかりやすく構成されている。

◆相対的に恋愛のテーマが多いものの、社会的な風潮を背景に説かれているので飽きないという工夫がなされている。

［創作のキモ］

◆自分の中にJustice（正義）を感じながら歌詞を起こしていくと雰囲気。ただ、そのままだと高圧的になるので、自分を卑下する表現も忘れずに。

◆モチーフはあえて小さなモノを選択するとそこから広げやすい。

◆できれば路上にあるもの、たとえば小石、雑草、ミカンの皮、捨てられた栄養ドリンクの空き瓶など。

◆それに自己を投影して徐々に視線を上げていく（最終的には空）構成がアプローチしやすい。

［類型アーティスト］

エルヴィス・コステロ（全般）

ジョン・レノン（ソロ時代）

甲斐バンド、B’z（恋愛の歌以外）

アーティスト別 歌詞分析 13 ／ YUKI

[使われそうなワード＆センテンス]

悲しむ物体・くよくよする日・空の色を閉じ込める・いたずらに揺れる心・その気になれば・せつない心・遠い街から来た便り・違う国へ来たような気がした・そんなふうに笑うんだ・ダンディに図々しいのね・ジェラシードリンク・その気になれば・嬉しい響き・French Boyfriend・日当たりのいい食卓・シャボンの泡に包まれて・青い草の中・瞳の奥に響いたキス・優しい羽根を準備する・フィロソフィも形無し・いい人なんてキライ、私を傷つけてもくれない・大好きなサンダル・空にとけて消えないうちに・どんなに青く澄んだ空でも、胸に雨をそっと隠してる・空が一面、海に見えた日・傷つくたびに思ってた・変わらないでと願うくせに平凡を嫌う・いつも帰るあの道がリボンのように街を結んでく・目の前にドアがあるけど何処でもいけるドアじゃない・想い出が私を追い越して行く・ねぇママ、私は誰・お帰りなさい、空がそうつぶやいた・悩んで学ぶ落ちては上がる・いくつかの季節がすぎ、あなたと逢えた・初めての言葉がなぜ懐かしいんだろう・二人だけ、あなただけ、私の影になる

[作品の傾向]

◆バンド時代〜ソロ時代と、日本の女性ポップ・ミュージックの牽引車である。ソロになってからは目線が変わってきたように思うが、遊び心溢れるアプローチはCharaと双璧。

◆透明さを感じさせるその詩風は、ファッショナブルであり女性の強さも備えている。それは自分の劣等感と上手くつき合うことによって得られたスキルだと思う。

◆蛇足だが、筆者はYUKIのオールナイトニッポンで、ハガキを読まれた経験を持つ。

[創作のキモ]

◆生活にそのままあるモチーフを選び、それを遊び心とともに歌詞に仕立てるのが大切。

◆たとえば、リビングに置いてあるアンティークの椅子。それは遠い昔、家具職人の爺さんが作った椅子で、肘掛けには女性の名前が彫られている。これは、亡くなった爺さんの妻の名だ。その椅子がここに来るまで、どのような旅をして、どのような出会いと別れがあったのか……そんな妄想で遊んでみたい。

[類型アーティスト]

the peggies

Chara

金子マリ

アーティスト別 歌詞分析 14／吉田拓郎

[使われそうなワード＆センテンス]

自由なんてそんなものなのです・喫煙ルーム・途中下車・たどり着けなかった君の哀しみは・あのことはもういいのです、よくないと思うけど・何が欲しいかはよくわからないけど、何が欲しくないかは、よくわかってるんだ・それじゃ僕ら何十回もの無駄なキスをしたって君は言うのかい？・折り合って愛は深まって　抱き合って重なって誤解して・僕が伝えたかったことは、君が本当に聞きたかったことなのかな・どうしようもないのです・雨は降ります、街に降ります、ヒロシマにも降ります・俺の最愛の女・かっこいいだろ？・捨てちまえよそんな指輪・気高い望みは奪われて・なんて素敵な馬鹿野郎ども・僕には歌う歌もない・耳をすませば聴こえる昨日がある・世間の水に半端に慣れてる心を少し戻そうよ・ブルーにこんがらがって・鼻糞ほじりの萬金丹・中央線・命ぶつけて攻めろよ男・旧《ふる》い友達再会好日・自由という名の荷物を背負って・されど私の足音は・今さら帰るなんて・新宿の地下街・あいつのギター・ピザトースト・あの娘の部屋まで・小湊鉄道・高円寺で飲んでます

[作品の傾向]

◆日本フォーク界の重鎮であり、フォークを歌謡曲と融合させた功労者である。

◆結婚というワードを、当時まだ婚活も『ゼクシィ』もない時代に、ポップ・ミュージックにアレンジして大ヒット曲に仕立てたのは偉業と言える。

◆ボブ・ディランに憧れたが、「イメージの詩」以外、詩風には影響が見られないのは、もともとポピュラーミュージックに近い素養があったからであろう。

[創作のキモ]

◆彼の場合、自分以外の作詞の有名曲が多いのだが、オリジナルの詩風はそれとは異なる。

◆手紙や日記をそのまま歌詞にしたような作品もあれば、歌謡曲のような作品もある。はたまた、フォークロックの名品のような歌詞もある。

◆どれも彼の詩風であるが、日記調の歌詞が雰囲気であろう。です、ます調の文体で構成していけば内容は問わない、だってそれは日記なのだから。

[類型アーティスト]

荒木一郎

遠藤賢司

加川良

アーティスト別

歌詞分析 15／B'z

［使われそうなワード＆センテンス］

悪いビートに襲われて・右脳と左脳がスパーク・ヒップでシュールでセンチなマイノリティ・しがみつく・逃げ腰・限界を知らない野望・全然ない・危ないね・痺れるような・どうしょうもない・震えて眠れ・どうすれば・声をあげて・逃げ出したくなるような・つまらないこと・迷路・満たして・長いけど・いきましょう・道ゆく車・いつの間にかこの街に・止まれないこの世界・夜明け・魂・負けないだろう・明日はどこへ・いつまでも一緒のような気がした・頼りなく始まる・誰かが待ってる・我慢できない・工事渋滞・アクセル・途中・タチの悪い・今会いたい・夕焼けの街・女神・信じるものだけ救われる・一途な想い・〜じゃない・欲にまかせて・どこにたどり着けるの・コイン・怯えてるけど・形のないもの・いつの日にか・かけがえのないもの・悪い予感・忙しすぎて・スキはない・火をつけろ・独りじゃいられないから・喜びも悲しみも分かち合う・寸止め・僕は僕・がむしゃら・しゃにむに・白く塗りつぶせ・レボリューション・そうさチョロイ！　変えるのさ・愛はリトマス試験紙かよ

[作品の傾向]

・言葉の自由度、グルーヴ感という点で日本ロック界最高峰であり、サザンと双璧である。
・全体的に街のシチュエーションが多い傾向にあり、その生活の中でのフラストレーションを感受性豊かに歌い上げる。
・恋愛観はいくぶん女性的。そして、女性を軽視しないという点においては、日本ロック界で唯一無二の存在と思われる。
・歌詞の間口の広さは際限なく柔軟であり、もっと高く評価されていい。

[創作のキモ]

・ミスチルほど青くない表現が求められる。
・小さなものを鏡にして社会全体を歌うのではなく、大きなものに自己を投影させ、その中で自己との関係性を歌う。
・そうなると、当然自分は卑下する存在となるので、そういう表現は忘れずに施していこう。
・恋愛に関してはあくまでも耐える自分を訴求するのだが、訴求しすぎて演歌にならないよう注意しよう。

[類型アーティスト]

サザンオールスターズ

ゆらゆら帝国

オーイシマサヨシ

アーティスト別

歌詞分析 16 ／ NOKKO

［使われそうなワード＆センテンス］

２００１回目のキス・まつ毛を伏せたら恋に落ちたの・悪巧み・スパイダーマンとルーク・スカイウォーカーと三角関係・媚薬・ママとパパ・感情が不安定なプロポーション・ダイヤをちょうだい・きわどい刺激・すぐに抱きしめて・ブルーネット・ウイークエンドラブ・発達しすぎの球根・ヒロイン・Dangerな街・ホントの恋・ただがむしゃらで・昨日まで好きだったけど今日は大嫌い・After School・罪悪感はミステリアス・盗み・Show Biz・何万トンのハート・胸を見せつけるの・恋のリングネーム・悪魔を憐れむ・罪深い私は無邪気だわ・無理を言う私は素直だわ・Girls Sexy・ハリウッドのオーディション・エンジェルハート・トランジスタグラマー・微笑みの威力・Show Girl・ステファニー・甘い毒・感覚的な言葉・生まれ変われるなら何度でも女を選ぶよ・あなた女の子だけど大丈夫ね独りでも・これくらいのワガママなら魅力だわ・いっそ完璧なほど無邪気が無敵・手強いくせに隙だらけ・誘惑の完全犯罪・極悪ワガママ・ハレンチなの・光も影も全て味方よ・曖昧のポケットに守られて

［作品の傾向］

- 日本人女性としてのポップロックの歌詞スタイルの礎を築いたアーティスト。
- ファッショナブルかつ自由なライフスタイルからなる作風は、その後のChara→YUKI→木村カエラの系譜へと受け継がれる。
- 彼女もYUKI同様、バンドからソロへと転身するに伴って、詩風も変えてきた。
- 筒美京平との共作「人魚」は、レベッカという大海を泳いできた彼女ならではの名作である。

［創作のキモ］

- 都市で生まれ育った視点ではなく、都市の周りで生まれ育った自分を想定して書いてみる。
- また、その周辺地域ならではの感受性を言葉選びに用いるのも手である。
- 要するに、自分と東京との距離感を歌詞の中にイメージして書いてみると彼女の詩風に近づくはず。
- また、幼少期の自分と今の自分というように、時間の距離感も考慮した設定にするとベター。

［類型アーティスト］

森若香織

杏子

佐藤奈々子

アーティスト別
歌詞分析 17／尾崎豊

［使われそうなワード&センテンス］

存在・コミュニケーション・かけら・苛立ち・アイデンティティ・真夜中・窓ガラス・歩道橋・シグナル・群衆・雑踏・膝を抱える・答えのない未来・街・からっぽ・証明・永遠の1／2・End Of The World・道端・未成年・独立記念日・鼓動・果て・彷徨い・標榜・誠実・優しさ・孤独・無理解・真実とニセモノ・にぎやか・誰も彼も・見えるもの・現実と夢の区別・当て外れ・受け止めよう・真実なのだろうか・あるがまま・理由・取り繕う・同じ過ち・お互い・夜の闇・安らかな・目をそらす・転がる・すべてを包む・あわれみ・卑屈・誤解・哀しみ・ひとつに重なる・闘う・狭間・手を差し伸べずに・示す・奪われたくない・君を守りたい・俺・求め続けよう・生きる意味・〜する事も出来ずに・乱される・カタチのないもの・きっといつか・日々の中で・唇かみしめる・大切にしてるけど・大人の言うこと・疲れたんだね・確かめておきたい・街の風・降り注ぐ陽射し・心許す・乱反射・かすみ草・男と女は最初から、大事なものが欠けている・儚いこの世の地平線、お前と覗いてみたくなる

［作品の傾向］

◆世の中を憂うがけっしてネガティブにはならない、あくまでも希望への逆説的な踏み台として憂いを活用する。

◆基本的に主人公は街に住み、街を憎み、街を愛し……というように街に終始する。不良の歌ではないように表現する。

◆不良の友人はいるが、自分はその中にはいない。たぶんに客観的な立場でいるような演出を施す。

◆全体的に青くさいと思われがちな印象であるが、実際は表現レベルとしてはくどくなっていない。

［創作のキモ］

◆表現としてはストレート、ヒネらずに簡潔に言葉を紡いでいく。また、固有名詞はなるべく使わない、避けることが好ましい。

◆そして、聴き手の感情移入を促すために、場所も表現として限定はしない。忌野清志郎の市営グランドとは逆である。

◆難解な言葉はなるべく避ける、リベラルな表現、誰しもが共鳴しやすい間口を設けることが大切である。

◆奪う、略奪、というよりも、守る、寄与するという意識でイメージを構築していくと彼の詩の世界が成立しやすくなる。

［類型アーティスト］

吉田拓郎（初期～ソニー時代まで）

浜田省吾（全般）

ブルース・スプリングスティーン（中期「The River」まで）

アーティスト別 歌詞分析 18 ／ スピッツ

［使われそうなワード＆センテンス］

かさぶたを剥がした夏・プリッツ・通り抜けた魔法・道連れ通り・さまよう約束・ごちゃ混ぜ・真面目なジョーク・青いラジオ・どこかの国のコイン・壊れかけのサイボーグ・戦闘機・塗り替えられたモノクローム・投げキッス・裸足のままで・甘いコウモリ・同じ星を持ってる人・一人なくしたブリキの缶・グッとくる・ふたつめの枕・骨の髄・わるいやつら・打ち上げ花火の月・抜け殻の街・青い箱庭・闇のレール・ほおずき色の太陽・不思議のテントで夢を見た・天使のサーフボード・夢見る金魚・心は南に旅をして・南に向かう花の光・ひなた・ヒトデの心・ビー玉の中の四畳半・一万光年の浜辺・叶わなかった旅の計画・頭蓋骨のすき間・錆びたアンテナ・市松模様の小旗・カボチャとナスの相性・マントの怪人・緑のトンネル・やまづみのガラクタ・セロハン越しに見た秘密・夏のチャイム・風に揺れる稲穂・朽ち果てた廃屋・風の抜け道・ふやけたさよなら・優しい声もあざだらけ・コオロギの宇宙・ミサイルの呪文・幼いそよ風・大粒の天使たち・午後の魔物・レーザービーム・パストゥール

[作品の傾向]

・井伏鱒二的な文学観、軽やかな厭世観が漂う。

・妄想が膨らんだような世界観であり、さわやかな自慰と形容しうる感覚。

・破壊的な欲求は控えめ、あくまでも恋愛観が主体になっていく。性的な表現が一切ないかというとそうでもなく、おっぱいなど、あえて稚拙な表現を用いる。

・ただ、それが純文学的な印象にまで昇華してしまうのは、詩風が聴き手の感受性をレイプしないからであろう。

[創作のキモ]

・A＋Bで詩的になるような表現を用いる。たとえば……遠い＋約束。誰かが忘れた＋子守唄のよう。

・または、限りない想い＋ひとつだけの宇宙へ。など、単語やセンテンスを重ねることによって詩的に演出する。

・姿勢的には、子供の頃から好きだったもの、たとえばプラモデルとかお好み焼きの焦げたとことか、そういったものを考えながら描いてみるのも手である。

[類型アーティスト]

井上陽水（初期）

くるり、GRAPEVINE

Belle & Sebastian

アーティスト別
歌詞分析 19／THE BLUE HEARTS

［使われそうなワード＆センテンス］

よそもの・幸せと不幸せ・心の奥・信じちゃいない・歴史・世界中・天国や地獄・楽しいこと・夜の扉・欲しい・建前・本音・旅人・古い大木・デマ・僕ら・夜光虫・松林・独りぼっちじゃない・大きな声・舌打ち・いつか・独り言・僕のＳＯＳ・プルトニウム・打ちのめされた横顔・駐輪場・野球場・市営プール・プールに入れるカルキの匂い・牛乳ビン・あなたの言葉・でたらめ・１００パーセント・ドキドキするような・この星・プラネタリウム・夢・両手・全てのクズども・くそったれ・僕はここに立っているよ・勝手にしやがれ・愛じゃなくても・世界の真ん中・半端・精一杯・死ぬまではあきらめない・Ｎｏ・いつでも笑顔なんかでいられない・行方不明・青空・好きです・神様・白と黒・夏の匂い・身体中・銀紙の月・僕らは始めよう・生きていること・マッハの速さ・くだらない世の中・ぶちのめす・爆弾・いらないもの・要領悪い・愛想笑い・ろくでなし・ハンパもん・劣等生・誰かが泣いている・僕たちの世界・はした金・笑いとばす・風船・何にも見えない・誰かに伝えたい・生き急いだメロディ

[作品の傾向]

- パンクだが表現は詩的なものが多い。
- やさしさを感じさせる表現が主流なので、みな殺しや殺戮等の言葉もキツく響かない。むしろメッセージ性が、政治色が強くてもすんなり心に沁みてくる。
- 甲本ヒロトと真島昌利では詩風が違う。真島昌利の場合は文芸的な色合いが濃く、ロンドンブーツ1号2号に提供した「岬」は、中上健次の同名作品をも彷彿させる傑作である。

[創作のキモ]

- 平易な言葉で素直に表現するように心がける。
- 偉ぶらない、媚びない、飾らないの「3ない」運動が大切。
- 廃車置場、駐輪場、市営グランド等、具体的地名ではないが、ある程度イメージが想定できるワードをポイントに配することによって、センチメンタルな感覚を聴き手に与えられるのでこれも覚えておこう。
- ドブネズミの美しさや全てのクズどもなど、美しい自虐とも受け取れるフレーズは必殺技になるので忘れずに。

[類型アーティスト]

RCサクセション、友部正人

真心ブラザーズ

THEE MICHELLE GUN ELEPHANT

アーティスト別 歌詞分析 20／西野カナ

［使われそうなワード＆センテンス］

いつもあなたが相談役・大好きです・スマホ・つつみこんでくれたら・手つなご・黙って話を聞いてください・坂の上に立ってるレンガ色のアパート・君・昔話を咲かせてる寝るのが惜しいくらい・いつまでもわたしの特別な友だち・君から電話かけてくるのが当たり前と思ってた・君の夢が叶ったらきっとどこかで見ているね・きっといつかどこかで会おうね・恋よりも強い友達・金の糸なびかせる君は雨雲・かしこくなりました・しょうがない夢が何より好きなんです・綿菓子みたいなモヤモヤが頭の中に居座ってる・カボチャは馬車より花がきれいなの・ガラスの靴より素足が好き・好きな人と物語を描けることを信じていたいの・恋の先輩がどんどん増えてく・ドラマチックにFairy Tale・アドレスの特別席が空っぽになったまま・強がりのフライト・彼氏の自慢ばっかりなの・ポケットの中に女神が住んでる・フレア模様の雲のうえ・他の誰かを好きになるなんて・君からメジャー級の告白されました・大事な宝物・かなづちガール・見えないけれどあるんです・好きになってよかった

[作品の傾向]

- 本書に登場するアーティスト中、ミスチルとともに日本レコード大賞受賞のアーティストである。
- 詩風はある種独特で、比喩はほとんど使わない。センテンスが飛ぶこともない。
- 情景描写や心理描写はシンプルで、かと言って日記調とも違う。
- ではなんなのか……ハガキに書くような、季節のあいさつ的文章で構成されている。よって、「逢いたい」が多用されていると推測される。

[創作のキモ]

- 彼女が作詞する際は、企画書を作ってから、何が流行して何が注目されているのか、紙に記してから作業するという話を聞いたことがある。
- ほんわかした物語風な歌詞になるのはこのためと考えられるので、まず企画書を書いてみよう。
- 起承転結、そこからキモになるセンテンスを短冊的に抜き出し、さらにそれを再構築して歌詞に仕立てていきたい。
- 英語詞も併用すればより効果的である。

[類型アーティスト]

谷山浩子

miwa

大塚愛

アーティスト分析のまとめ

ここまで20人（組）のアーティストを列挙して、
僕なりに分析しましたが、これはあくまでも僕の主観です。
読者のみなさんにはみなさんの視点があると思いますので、
各々で分析してみてください。
また、この20人（組）以外に、当然、歌詞が素晴らしいアーティストがいます。
あの人とかあのグループとか。
それを、この分析の仕方を参考にして、自分で研究するのもいいと思います。
新しい発見があるかもしれません。
そして、類型アーティストとは、そのアーティストと詩風が似ている、
通底するものがあると、僕が判断したアーティストたちです
（あくまでも歌詞です、曲ではなく）。
このあたりの詩を見比べるのも、なかなか興味深いです。

〔状況5〕

もしあのＢＩＧアーティストが「遊園地で超ラブラブな」歌詞を書いたら

［状況5］のイメージテキスト

遊園地で超ラブラブなデート

恋人ができました。ラブラブです。

考えることも一緒、食べたいものも一緒。

好きな音楽も一緒、見たい映画も一緒。

なのでデートも思い切りベタに遊園地にしました。

何年ぶりだろなぁ、普通の遊園地。

ミッキーもミニーもいない、パレードもない。観覧車にメリーゴーランドにコーヒーカップ。最近、乗ったことないものばかり。でも、楽しいんです。

寒空だけど今夜は月夜です。

食事もハンバーガーとおでんです。でも、楽しいんです。

こんなに楽しいデートはいつ以来だろう？

1　忌野清志郎

1
忌野清志郎
2
椎名林檎
3
奥田民生
4
セカオワ
5
aiko
6
井上陽水
7
米津玄師
8
槇原敬之
9
スガシカオ
10
木村カエラ
11
星野源
12
ミスチル
13
YUKI
14
吉田拓郎
15
B'z
16
NOKKO
17
尾崎豊
18
スピッツ
19
ブルーハーツ
20
西野カナ

おでき

だから今日は座れないのさ
固い椅子とかテキメンだぜ
観覧車から外を見てれば
気が晴れるとか
そんなの無理だよBaby
本当に無理なんだよ
そんな明るい笑顔で言われても
座ると当たってズンズンくるのさ
とんでもないぜ

メンフィスだとこれを何て言うんだろう
オーティスとかこんな時どうすんだろ
俺の中のブルースが　身体の外に出たがってる
その情熱のかたまりが　座るところに膨らんでるんだ

だからBaby 回転木馬も無理だって
ギロチンだぜまるで
だからBaby コーヒーカップも無理だって
おいらを死刑台に送る気かい
Baby そんな楽しそうな顔すんなよ
Baby おでんもゆっくり食えやしないぜ

2　椎名林檎

遊園地心中

三日月の夜　現れるという謎の怪盗
金目のものには 目もくれず
娘の心を狙う事件
岡っ引きも　お奉行様も
困り困った八百八町

今夜も斯《か》くいう　この遊園地に
現れるという内報受けて
あちきが囮《おとり》になる ガイドライン
血で血を洗う　回転木馬
奴隷が回す　観覧車
人間線路の　遊戯列車
恋人達の嬌声が　妖しく木霊《こだま》する

何も知らずの現《うつつ》 顔
あらはれ給うは盗人《ぬすつと》そなた
怪しげ笑みで 惑わして
襟先挿入《いれ》たる その指を
お縄で捕らえて　御用よ Darlin'
お後は野となれ 山となれ
いっそ一緒に果てようか 絶えようか

1
忌野清志郎
2
椎名林檎
3
奥田民生
4
セカオワ
5
aiko
6
井上陽水
7
米津玄師
8
槇原敬之
9
スガシカオ
10
木村カエラ
11
星野源
12
ミスチル
13
YUKI
14
吉田拓郎
15
B'z
16
NOKKO
17
尾崎豊
18
スピッツ
19
ソルーハーツ
20
西野カナ

3　奥田民生

黒船とメリーゴーランド

観覧車とメリーゴーランドは
ペリーが黒船で　持って来たらしい
勧進帳には　そう書いてあるらしい
長い船旅　乗組員達が退屈しないよう
ウォルト・ディズニーの　心遣いであろう
さながら甲板は　遊園地のようだった　らしい

招待された武士達は　乗り方もわからず
最初は木馬に　鞭を入れたり
観覧車に頼もうと　頭を下げたり
馴染めなかったが　そのうち慣れて
週末などは　たいそう賑わったようだよ

ちなみにペリーが　武士達に
これをご覧と　指差したのが回転木馬で
ペリーがご覧といったので
ペリーがご覧
ペリーごらん　ペリーゴーラン　ペリーゴーランド
メリーゴーランドとなったと
勧進帳には書いてある　らしい
開港してよかったよかった

ミューの世界

横浜にある世界で一番高い観覧車
そこからならその世界に届くかな
下では子供達の笑い声
子供達の歓声が　この遊園地には溢れてる
下界は光に包まれて　様々なアトラクションが
生き物みたいにうごめくよ

君と僕の子供が生きてたら
きっとその子も喜んでたね
君はミューって名付けるんだと
早く顔を見たがっていた
ミューの世界に近づくゴンドラ
もう少しで雲の上じゃないか
僕らは観覧車の陰からそっと見た

雲の上で　その子が遊ぶ可愛い玩具
それは僕が　生まれてくるミューに
買ってあげたプラスチックの遊園地
ちゃんと木馬が回ったり
観覧車も光るミニチュアだった
よかったね　ミューも幸せそうだ
そしてゆっくり　観覧車は
雲の上から　戻り始めた
地上の世界に　僕らを戻すために

5 aiko

1
忌野清志郎
2
椎名林檎
3
奥田民生
4
セカオワ
5
aiko
6
井上陽水
7
米津玄師
8
槇原敬之
9
スガシカオ
10
木村カエラ
11
星野源
12
ミスチル
13
YUKI
14
吉田拓郎
15
B'z
16
NOKKO
17
尾崎豊
18
スピッツ
19
ブルーハーツ
20
西野カナ

恋遊具

遊園地の片隅に　忘れ置かれた錆びた遊具
子供達には　見向きもされない
シマウマ、パンダ、ぞうさんが
寂しげに強がって　笑っている
例えばそれはあなたに最近
構われなくなったあたしが見せる
小さな抵抗みたいだよ

ジェットコースターやメリーゴーランドや
観覧車みたく付き合いやすい女でなくて
きっとあなたは困ってるのかな
臆病なのに素直じゃなくて
挙動不審な木馬みたく疑り深くて
これじゃ今にあなたの想い出の片隅にやられちゃう

この臆病な心を　愛のために
愛のためだけに　捧げなくっちゃ
鍛えようのない　場所を痛め
人は誰も　恋をするけど
観覧車の密室で　息をひそめるよう
あたし今　恋をしている
思い出の　片隅にならないよう
一生懸命　恋をしている

もし西原理恵子が井上陽水を描いたら

…を田中圭一が描いたら

6　井上陽水

見世物小屋の純情

幼き日々の思い出は
遊園地にあった見世物小屋
極彩色のポスターが
私の心を彩った
ヘビ女に狼男　奇形の小人に大女
どんな醜態がこの中で
繰り広げられているのだろう
その思慕は　初恋にも似て切なく揺れた

ブランコのような　観覧車
ピエロに投げる　玉入れ遊具
輪っかを放る　手薄な賞品
偽物だけが　持つ真実が
子供の目には　輝いていた

ある日　学校の帰り道
見世物小屋は　たたまれていた
ヘビの鱗の　衣装を持った
女の人と　目が合った
私に少し　微笑む瞳は
世界で一番　哀しい色でした

7　米津玄師

Fairground Attraction

塀を越えて　真夜中の遊園地
忍び込んだね　覚えてるかい
覚束ない段取りに　あなたは戸惑ってた
確かにあの日　僕らは生きてた
夜の漆黒に 風穴を開けた 三日月が
二人に風を送ってた　潮の傍を

イメージでは月明かり　回転木馬は回り
あなたと僕は 無邪気なそぶりで
ハンバーガーを 頬張るはずだった
だけど今でも 不思議なんだ
あの観覧車は何故　動いたんだろう
僕は何もしてないよ

そして十代は 通りすぎてった
移動遊園地の アトラクションみたいに
知らん顔で　錆びた鉄の塊が
今夜も月に近づいて行く　今夜も月に

1 忌野清志郎
2 椎名林檎
3 奥田民生
4 セカオワ
5 aiko
6 井上陽水
7 米津玄師
8 槇原敬之
9 スガシカオ
10 木村カエラ
11 星野源
12 ミスチル
13 YUKI
14 吉田拓郎
15 B'z
16 NOKKO
17 尾崎豊
18 スピッツ
19 ブルーハーツ
20 西野カナ

8　槇原敬之

落ちてきたヒーロー

人混みまばらな　下町の遊園地
マンションを　見に来た帰りに
僕たちは立ち寄った
何か宿題の　答えを待つように
僕たちは観覧車の下を　黙って歩いた
その時僕は　何か落ちてるのを見つけたよ

それは小さな　ウルトラマンのソフビ人形
観覧車の中から　落ちて来たのかな
人に踏まれて　汚く腕ももがれてた
きっと誰かを助けに行こうと
観覧車から飛んだけど
飛べなくなって落ちたのよって　君が呟く

ウルトラマンには　なれないけれど
君にとって僕が　ヒーローにならなくちゃ
飛べないけれど一緒に住もう
やっと宿題の　答えが見つかった
あのマンションの　あの部屋に決めよう
あそこからだと　ここの花火と
観覧車がよく　見えるんだ
ウルトラマンが　シュワッチって笑ったよ

9　スガシカオ

アナログレコードと観覧車

人工物だらけで出来上がってる
海外資本の遊園地を
僕は君とイヤイヤではなく
満喫しようとしてる
恋してるとかそういう感情を
素直に吐露することにいつから
引っかかってるんだろう

観覧車に乗ることに抵抗はないんだ
街をミニチュアみたく眺めることで
眼福を得て君はモチベーションを上げている
どうやら僕はこの手の作業が不得手らしい
僕が君を御茶ノ水のレコード屋に連れてって
アナログレコードに夢中になってる時の
君もこんな表情なんだと思うんだ
ビル・ウィザースとかマーヴィンとか
僕が説明しても君の笑顔は虚ろだもん

わかった　わかったよ
この観覧車は大きなアナログ盤だと思おう
すけーよ　超レアだよ　オリジナルだよ
まだ慣れないけど　徐々に楽しくなって来た
B面に行くまでには　いい音圧で笑えるさ

10 木村カエラ

子どもの声が集まるところ

遊園地には毎日 たくさんの
子どもの声が 集まります

観覧車の扉の鍵穴には
サンタクロースは いるんですか？
回転木馬の屋根の上には
月にウサギは いるんですか？
ジェットコースターの線路の溝には
お花に心は あるんですか？
コーヒーカップのハンドルの中には
おばあちゃんは星に なったんですか？
遠い国から　海の先から
いろんな声が　集まって来るのです

なんて答えて あげようか
なにを教えて あげようか
遊園地に住む　妖精たちは
子どもの声を 集めながら
毎日悩んで いるのです

遊園地には毎日 たくさんの
子どもの声が 集まります

11　星野源

1
忌野清志郎
2
椎名林檎
3
奥田民生
4
セカオワ
5
aiko
6
井上陽水
7
米津玄師
8
槇原敬之
9
スガシカオ
10
木村カエラ
11
星野源
12
ミスチル
13
YUKI
14
吉田拓郎
15
B'z
16
NOKKO
17
尾崎豊
18
スピッツ
19
ブルーハーツ
20
西野カナ

回転寿司木馬

お寿司の国の遊園地は
回転寿司の回転木馬らしい
レーンの向こうから
大きなお寿司が回ってくる
それにどうやらまたがるんだ
僕はシメサバにまたがるよ
君はどうする？
ヤリイカのわさび抜き？
わさびがこの際　関係あるのか
わからないけど　寿司の木馬は
回り始めた　シースーゴーラウンド

お腹が減ったら　酢飯を食べればいい
君はソフトクリームのが　良さそうだけど
僕は結構気に入ってるよ
シースーゴーラウンド

後からわかったけど　ヤリイカは滑って
乗りづらいみたい　シメサバはまぁまぁ
困りものは軍艦巻きだ　股が汚れてしまうね
巻物も乗りづらい　股関節の力が要るんだ
もう一周やる？
シースーゴーラウンド

8月31日

最後のとしまえんは人混みがすごくて
秘密を持ってる僕たちのことを
そっと隠してくれました
だけどそんなことも
としまえんと一緒にやめようって
君と話し合って決めたんです

観覧車乗り場でキスをして
泣き出した君を抱きしめて
切符を切るおじさんが驚いて
僕たちをずっと見てた

メリーゴーランドの木馬に
貼ってあった廃棄処分の紙を見て
捨てられちゃうんだねって　悲しそうな顔をした
君の純粋さ　その優しさを
ずっと持っていてください

木馬が止まるまで抱きしめて
泣き出した君とキスをして
ずっとずっと回っていればいいのにと
君も僕も願ってた
さよなら　賑わう最後の　遊園地で
さよなら　君と僕ととしまえん

13 YUKI

1 忌野清志郎
2 椎名林檎
3 奥田民生
4 セカオワ
5 aiko
6 井上陽水
7 米津玄師
8 槇原敬之
9 スガシカオ
10 木村カエラ
11 星野源
12 ミスチル
13 YUKI
14 吉田拓郎
15 B'z
16 NOKKO
17 尾崎豊
18 スピッツ
19 ブルーハーツ
20 西野カナ

Capsule

二人きりで 向き合ってる
ゴンドラの中で ずっと
静かだね　風だけがささやいて
言葉より見つめあう
それだけの時間なのに
なぜこんなに胸が 深くなるの

地上《した》を見れば　花束のように街は
輝いてる　咲き乱れる
二人の未来《ロマンス》知ってるのかしら

このままゴンドラが ちぎれたら
空に吸い込まれ 飛んでいく
そんな物語を描いてしまう
どこまでも二人は寄り添って
カプセルに包まれ
旅をしたい　そんな瞬間

14　吉田拓郎

僕にとってキャンディーズは遠い日の花火ではない

僕は今　西武線沿線の鄙びた遊園地に来ています
観覧車の下の売店でソフトクリーム食べてます
一人で来たのですが　一人ではありません
この観覧車に乗ろうと約束した
四十数年前の思い出と一緒に来てるのです
あの頃彼女たちに僕はある歌を書きました
ジェットコースターのように目まぐるしい芸能界で
彼女たちはメリーゴーランドのように愛くるしく
ホッとする存在だったのです
レコーディング中に僕は彼女たちと約束を交わしました
いつか彼女たちが普通の女の子に戻ったら
ここの遊園地にみんなで来て観覧車に乗って
メリーゴーランドに乗ってコーヒーカップに乗って
ソフトクリームとかクレープを食べて過ごそう
そんな他愛ない約束でした
あのあと彼女たちは　普通の女の子に戻って
さらに時は残酷なほどに流れて　もうその約束は果たせません
けれどこうして僕が思い出たちと遊園地に来ることが
なんとなくですが悪いことではないと思えるのです
この前家で断捨離してたら　古い靴を見つけました
あのレコーディングで　イントロに使った靴です
その靴を履いて　今日ここに来ました
靴音を立てて振り向くと　彼女たちがいるようで
僕は少し泣きながら　微笑をかえしたのです

15 B'z

Xiang Xiang

浦安と上野の遊園地は　違いますね
浦安になくて上野にあるものは　なんでしょう
アトラクション？　クオリティなら圧倒的浦安
上野の観覧車は　小さくて
上空からなんて眺望は　不可能です
地上なのに　デパートの屋上みたいな遊園地

でも僕はなぜか　上野に愛を感じてしまう
もちろん浦安のパレードもお城も
大好きなんです　でも　足が向くのは上野なんです

それはきっと君がいるから　シャンシャン
あんまり動かなくても　シャンシャン
君から愛をもらえる　シャンシャン
君を感じながら　あの小さな遊園地に浸るのが
僕は好きでした　シャンシャン
閉園ほんとに残念です

16 NOKKO

Merry-Xmas, Go-Round

ねえ昔みたいに　メリーゴーランドに
二人並んで　座らせてよ
遠く離れた　時の流れを
少しずつ　戻せるような気がして

もう鍵も扉も　違う二人が
この遊園地で　巡り逢って
悪戯な　アトラクションのよう
神様達は　何を願ってるの
思い出のパレードは　もう通り過ぎたのに

トム・ハンクスの　あの映画みたいに
お互い子供に戻れない
戻って　誰か傷つけても平気なら
愛は私たちに　復讐するわ

ねえ昔みたいに　あの観覧車を
見てる間に　あなたは消えて
メリーゴーランドの　オルゴールが
ゆっくり止まって　振り向いた時
Merry Xmasって言って　さよならするから

流れ星が今　思い出の扉を閉めたわ

17 尾崎豊

1
忌野清志郎
2
椎名林檎
3
奥田民生
4
セカオワ
5
aiko
6
井上陽水
7
米津玄師
8
槇原敬之
9
スガシカオ
10
木村カエラ
11
星野源
12
ミスチル
13
YUKI
14
吉田拓郎
15
B'z
16
NOKKO
17
尾崎豊
18
スピッツ
19
ブルーハーツ
20
西野カナ

フェンスの向こうのメリーゴーランド

古びた遊園地の　錆びた鉄柵
もたれてお前は　俺に抱かれた
散々弄んできた　愛のさすらいに疲れ
細いカラダが　胸に刺さった

観覧車が止まったら　もう逃げられない
この世を嘆いて　涙に濡れた
何度も何度も　木馬のような味気ない恋に
騙され疲れて　ここにきたのさ

誰もいない　夜のメリーゴーランド
幼い笑顔で　俺たちはつかの間はしゃいだ
切符がなくても　乗れる乗り物
それはまるで　人生みたいじゃないか
止まったら　また歩けばいい
俺たちの　パレードの先にある
アトラクションを　目指して

18 スピッツ

木馬、脱走する

USJから木馬が逃げた
アールヌーボーの欄干を
蹴り上げ柵を越えてった
ノロマのピエロは慌ててしまい
観覧車に閉じ込められた

疾風のように木馬は走る
つぶてのように路地裏走る
その時　上空不穏な影が
キャストが乗った海賊船が
捕獲しようと追って来たのさ

浦安あたりに向かった木馬は
木片ばら撒き悲鳴をあげた
海賊船に囲まれた時
ペニスバンドにまたがった
ローンレンジャーが現れた

木馬　木馬　木馬は今では幸せに
マザー牧場で　子供達を乗せてるよ

19 THE BLUE HEARTS

大好きです

死ぬほど好きで　生きていこう
あなたを好きで　死んでもいい
ミッキーよりもドナルドよりも
白雪姫よりもシンデレラよりも
回転木馬に　僕は誓います

今日から自分で　生きていこう
あなたを好きで　泣いてもいい
キティよりもポムポムよりも
マイメロよりもシナモロールよりも
観覧車に　僕は誓います

Wow Wow USJを愛して　ハウステンボスを愛して
Wow Wow TDLを愛して　八景島シーパラを愛して
Wow Wow 富士急ハイランドを愛して　花やしきを愛して
Wow Wow キッザニアを愛して　ナンジャタウンを愛して
Wow Wow よみうりランドを愛して　ピューロランドを愛して
Wow Wow 日光江戸村を愛して　サマーランドを愛して

20　西野カナ

私を野球に連れてって

だって隣は遊園地
君を遊園地に導くための
トリックプレイだったのです
君は野球が好きだけど
私は全然キョーミがない
私は遊園地デートしたいけど
君は全然ノッてこない　だから作戦立てたのです

一回表は観覧車で二人っきり
距離をゆっくり　縮めましょう
二回表は木馬に乗って旅するの
君の横顔　うっとり眺めて
三回表はジェットコースターで
一緒に叫んで　グッと親近感
四回表はコーヒーカップでお互いに
真正面から見つめあって　照れましょう

後半戦は　私のお手製サンドイッチ
ハムにチーズに　ローストビーフ
手堅く恋の得点圏に　進みましょう
え？　なんか野球が　好きそうだって？
全然違います　現役ガールじゃありません
ちょっと昔　リトルリーグにいただけです
イチローよりも上野さんです

［状況6］

もしあのBIGアーティストが「宇宙飛行士になった」歌詞を書いたら

［状況6］のイメージテキスト

宇宙飛行士になって地球から飛び立った

宇宙飛行士になってもう何年でしょうか。地球の仕事に飽きて転職したけれど、時給は上がりました。仕事も意外と簡単で、惑星の砂漠調査とかが主です。終わればあとは自由時間。気の利いた居酒屋はないけれど、人工知能とゲームをしたり話をしたり、地球にいる家族や知り合いと交信したり、好きな映画や音楽を楽しんでます。一人暮らしなので気楽でもあります。

嫁さん一緒だったら大変ですよ、文句ばかりで（笑）。

でも、最近、気がかりなのは、交信が途切れることと、隕石が増えてきたこと。地球帰りのＵＦＯもこれにやられてます。こんなボロい船、当たったらもうアウトです。宇宙のモクズとなってしまいます。

気をつけなきゃ。惑星直列が原因なのかなぁ。

1　忌野清志郎

S×3 Writer（Space Singer Song Writer）

脳の中の受信機が　銀河系の電波をキャッチ
宇宙《そら》の向こうから　届けられた
Hipなナンバー　メッセージ
そいつを歌って　一儲けしようぜ

ハシシなんかより スペイシー
キメればトリップ　惑星直列
ロックでもない　ブルースでもない
なんだ！これは！新しい音楽か
インドなんか　行かなくて済むぜ
だって俺の　頭のクレーターには
ハレー彗星が　バシバシ来るぜ

コカなんかより　ドップラー
バッドは注意だ　ビッグバン
ソウルでもない　スカでもない
なんだ！これは！聴いたことない音楽か
売人なんか　商売上がったりだぜ
だってこれは　ナチュラルハイ
キメてロケット　操縦したいぜ

脳の中の受信機が　銀河系の電波をキャッチ
Hipなナンバー　メッセージ
そいつを歌って　一儲けしようぜ

もし福本伸行が椎名林檎を描いたら
後部スラスター点火！
ざわ‥

ざわ…
…を田中圭一が描いたら

2　椎名林檎

銀河のパンクス

宇宙酒場の　賞金稼ぎ
ピアスでサドな　男たち
黒い革ジャン　鋲打って
銀河のコートニー　探してた
賞金首の　ポスタァが
雑に貼られた　キャバレーで
女も金も　手に入れるぜと
反吐を　土星の輪っかに　吐いてた

シドもカートも　星になったが
あたしの　五臓六腑なら
水金地火木　土天海冥王
まだギターで革命　鳴らしてる
恒星になれない　パンクスが
銀河で戸愚呂の　蛇になる
かき鳴らしてる　コードは三つ
どうせ太陽には　届くまい

3　奥田民生

青春daロケット

遠い海洋　秘密基地
指令が出れば　動くのことよ
爆音　爆炎　爆雷たてて
目指す仕事場　それは宇宙よ

Across The Universe
隕石かき分け　現場へGo
Trouble Welcome
揉め事鎮めに　現地へGo
解決しまShow
面倒みまShow
県民じゃなくても　僕らは宇宙民

助け合うのだ　救っちゃうのだ
とっても危険を　顧みず
それが僕らの　青春ロケット
万々歳と　シュプレヒコール　飛んでいけ
Say So Cane！

Moon Child

まるでMoon Childさ
時の浅瀬で　踊ってる
惑星たちを　閉じ込めていた
錆びた扉　開けて

夜空の巡礼　夢路を辿り
愛をidealizeして
時空の花を　摘んで歩けば
素粒子の二人

ジュピターに　ネプチューン
オベロン　オフィーリア
プルートに　七色の光
ひとりぼっちの　アイソタイプが
刻まれたエピタフ　映すよ

5 aiko

プラネタリウム

悩んだり　いろんな気持ちの
ささくれが　ロケットみたいに
あたしの空を　発射していく
恋とは　そういうものなんだって
知らず知らずに　そう思ってた
空気の薄い　あなたの肩先
顎を乗せて　唇を突き出す
キスして　触れた
あたしの　小さな体はね
大気圏に　落ちたみたく熱くなる

あたしの胸の半球に　夜空を映して
あなたと見てる　冬の星座
こんなにときめき　知られちゃうかな
息もできないほど　抱きしめちゃおかな
あたしの心の内側に　夜空を映して
あなたと見たい　夏の星座も
ずっとときめき　教えてあげたいんです
息もできないほど　抱きしめたいんです

6　井上陽水

月の裏側散歩道

月の裏側で　影踏みをしよう
淡い淡い明かりが　分散して
どうにか影を　探せるでしょう

薄い空気は　僕たちの胸を圧迫して
とても恋には　たどりつけそうもありません
ねぇ　土星の輪っかも　いいものですが
寒くて散歩には　適さないようですよ

月の裏側で　花見をしよう
桃色の砂塵が仄かに　舞い上がる
それは桜を　思わせるでしょう

冷えた窒素が　あなたの歌声を狂わすせいで
今宵　恋に　焦がれそうにはありません
ねぇ　金星の大海にも　心魅かれますが
灼熱で散歩は　辞退させていただきます

ねぇ今宵　月の裏側で散歩をしましょう

7　米津玄師

宇宙茫漠

どこまでも　砂漠が続く惑星で
いつまでも　あなたを待ってる　我が無常
何故だろう　僕の頭の中ではずっと
不時着したロケットが
三味線のリズムを刻むのだ
この星の　永遠に沈まない太陽を　追いかけて
見た事もない鳥が　悲しい宇宙に呻いている

さぁ惑星よ　僕の舞台は整ったのか
回廊　快楽　海冥王
いつ　尽きるとも知れない宇宙の輪廻
いつ　冷めるとも知れない地表の灼熱
惑星の砂漠一座の　お出ましだ
麗人　詩人　異邦人
僕の向こうでTERRAが笑った
惑星の幕が上がったようだ

8　槇原敬之

Lonesome Pilot

今の仕事を変えていいなら
宇宙飛行士に僕はなりたい
誰もいない宇宙空間で
恋のことを忘れ去りたい

例えば君があいつと上手くやろうが
やるまいが　僕には一切関係ない
宇宙にいたら君から夜中
LINEで呼び出しされずに済むし
慰めの言葉に迷って
深夜映画に　付き合わなくて済む
第一そこは圏外だ　僕は独りで舵とるパイロット
ミラーに映る流星群を　避ける腕前なかなかなんだ

地球を出た頃は睡眠不足で　きっと誰かが恋しいね
大丈夫　田舎から東京に出てきた時も
僕は最初　そうだった
他の惑星で友人だって　増えるかもしれない
異星人との恋愛だって　あるかもね
ただ一つ　注意しなくちゃいけないのは
僕にはガソリンを入れ忘れる　癖がある
宇宙で　ガス欠のロケットを
押して帰るのは　なかなか大変だぞ

9　スガシカオ

宇宙飛行士のバラッド

昨日の名前は　オモイデです
明日の名前は　ミライです
そんな風に　はしゃいでいた
あの日の僕らが　見える

夜空を爪で　引っ掻いて
流れ星が　消えていく
それは小さな　人工衛星
忘れられた　飛行士さ

ありがとう　空を見上げてくれて
君の記憶の　宇宙の彼方に
名もない　飛行を　とどめてくれよ
夜空の先へと　消えていくまで

ありがとう　僕を見つけてくれて
また数十年後　君に逢うまで
僕はこうして　夜空の淵を
彷徨うだろう　果てないだろう

宇宙家族＋One

宇宙船の生活は　まだ慣れないわ
コンビニもないし　TSUTAYAもない
買い物不便で　野菜も魚も値段が高い
ゴミの日も不定期　外に出すのも一苦労
宇宙服を　いちいち着ないとなんないし

地球の外で　あなたと暮らす
最初はワクワク　ときめいたわ
月に降りて　犬とクレーターの散歩とか
そんなライフスタイルも　素敵だけど
いちばん問題は圏外で　誰とも連絡とれないの
インスタグラムも　LINEも更新できないの
Amazonだって　届けに来てはくれない

でもね　月の裏側に宇宙人の豪邸なんて
土星の輪っかが　プラスチックゴミなんて
地上にいたらわからなかった　気づかなかった
ねぇ　あなたは気づいてないでしょうけれど
来年　家族が増えるのよ

11　星野源

転職

胸に流星が　刺さった女や
心にクレーターが　空《あ》いてる男が
この街には　見受けられる
大気圏や成層圏　そんな居酒屋も
だからなのか　宇宙服屋もある

月の張り紙　土星の夕暮れ
金星の野良犬が　小便を振る
パイロット募集の広告　経験不問
やってみようか　新しい仕事
この僕に　天が与えてくれた
才を活かせと　空を仰ぐよ

明日から僕は　飛んでみるよ
ムーンサルトって　会社なんだ
五年落ちの　ロケットだけど
時給がいいから　君を養えるよ
もう　パートを辞めても平気だよ

12 Mr.Children

旅路ハルカ

アインシュタインとニュートンが
土星の安い居酒屋で議論してる
相対性理論と万有引力の優位性を
枝豆と冷奴で解説してる
人それぞれ　自分の理論で自分の宇宙を
行けばいいのさ　臆することなく

君のミニバン　通称ロケット号だっけ
運転席には家族の写真と
キューブリックの写真が　飾られてる
愛犬の名前は　モノリスで
息子の名前は　宇宙《ひろし》だね
いつか君も　自分の夢を飛べるはずさ

アポロ計画は眠ったけれど　僕らは目覚めよう
あの有名な社長のように　月まで旅して
彼女とヨロシクできないけれど
人生の裏側まで旅してみよう
永遠の長さには個人差があって
時にそれは悲しみを生むけれど
果てるまで　僕らの光がついえるまで
光年の旅路は終わらないんだ

13 YUKI

1
忌野清志郎
2
椎名林檎
3
奥田民生
4
セカオワ
5
aiko
6
井上陽水
7
米津玄師
8
槇原敬之
9
スガシカオ
10
木村カエラ
11
星野源
12
ミスチル
13
YUKI
14
吉田拓郎
15
B'z
16
NOKKO
17
尾崎豊
18
スピッツ
19
ブルーハーツ
20
西野カナ

嫁取りUFO

地球の男に別に　飽きてはいないんだけど
遠くへ連れてってもらえるなら　いいかも
言葉とかわからない　不安はあるけど
心を通わせれば　平気なのかな

マシュマロみたいな　円盤に乗った私
窓も何もないんだ　へぇ
奥から誰か出てきた　宇宙人？
なんとも言い難い顔で　なんとも言い難い声
でも言ってる言葉？　意味はわかる

どうやら宇宙の　かなり奥から
一年に一度　地球にやって来るらしい
それは　要するに　嫁探しの旅？
嫁不足は深刻な　宇宙問題みたい
宇宙の奥の　ポツンと一軒家なのかなぁ
世田谷のほうが　都会じゃん
うーん　気乗りしないかも
姑問題とかあるもんね　絶対
決めた　ごめん　キャンセルする
次の月で降ろしてくれる？

14 吉田拓郎

惑星

惑わされた男と　惑わす女の出会う星
それが酒場で悪いでしょうか
ジプシーみたいに　さまよって
キャラバンみたいに　消えていく
そんな話を　するのでしょうか

星の数ほどしてきた　恋は
宵の夜空の　ため息に
月の砂漠を行く　ラクダには
どんな結末《ラスト》が見えるでしょう

泣き歌　忘れ歌　涙歌
こんなに歌が　あるこの星は
もらい歌　嘆き歌　拾い歌
誘われ惑わす　惑星なのです
惑星なのです

15　B'z

1
忌野清志郎
2
椎名林檎
3
奥田民生
4
セカオワ
5
aiko
6
井上陽水
7
米津玄師
8
槇原敬之
9
スガシカオ
10
木村カエラ
11
星野源
12
ミスチル
13
YUKI
14
吉田拓郎
15
B'z
16
NOKKO
17
尾崎豊
18
スピッツ
19
ブルーハーツ
20
西野カナ

スター誕生

寂しさが欲しいなら　ここにいればいい
いとしさが欲しいなら　ここにいちゃいけない
生まれ出ずる宇宙へ　僕のロケットでStart Me Up

Burningしましょう　Star Is Born
銀河のスクリーン　めくるめく調べ
セクハラなんて　此処にはありません
だって無重力なんですから　No Touch!

海がいい　山がいい　ハワイがいい　ロスがいい
そんなこと言うお嬢さん　宇宙ならどうですか
大気圏外　危険かい？って　宇宙は毎日安全日です
Shooting Star! Pale Star!
Meteor Star! First Star!
あなたの星を見つけましょう

Bad☆Nice

Hey 織姫のBoy Friend
彼は最強　ミルキーウェイのSpeed King
一年に一度　制限100km超えて行く
でも仕方ないの　恋の法則
だって逢えなきゃ　One Year Later
欲望だってギリギリよ　わかるでしょ

隕石なんてNo問題
ハートは最強　フルスロットル
彼女のもとへ　駆け抜けるAngel
宇宙飛行士の評判は　最悪
UFOたちも　死神呼ばわり

けれど甘いよBad☆Nice Baby
思いっきり愛したら
来年までのキスをして
思いっきり愛したら
来年までのハグをして

17　尾崎豊

1
忌野清志郎
2
椎名林檎
3
奥田民生
4
セカオワ
5
aiko
6
井上陽水
7
米津玄師
8
槇原敬之
9
スガシカオ
10
木村カエラ
11
星野源
12
ミスチル
13
YUKI
14
吉田拓郎
15
B'z
16
NOKKO
17
尾崎豊
18
スピッツ
19
ブルーハーツ
20
西野カナ

アリソン

宇宙の警備と言やぁ　聞こえはいいが
要は邪魔者を消す　イレイザーさ
銀河の政治家　賄賂を受け取る
腐った奴らを　俺は闇に葬っていた

俺には惚れた女がいた　親も身寄りもない俺を
火星の孤児院から引き取ってくれた
恩ある人の一人娘だ　俺たちは兄妹のように
育てられ　そしていつからか愛し合っていた

ある日　組織から受けた命には
腐敗した政治家の　暗殺指令が
その名前を見たとき俺は
海王星のようにマイナス200度に震えた
そこには恩ある人の名前があった

組織からは逃げられない　逃げれば俺がヤバくなる
俺は女と宇宙船で逃げた　銀河系から　アンドロメダ
マゼラン　M87まで　いつか組織は俺を見つける
そしたらアリソン　お前だけは
父親と一緒に　逃げてくれよ
そしてアリソン　俺のことなど
早く忘れて　幸せになってくれ
アリソン　いいか　俺のアリソン

アトムの残骸

アトムの残骸　並んで飛んだ
大気圏外　アベック飛行
金星あたりに　たどり着くかな
鉄屑みたいな　願いとともに

星座になった　敵方ロボット
お腹のネジが　弾けて消えた
博士の忠告　守っていれば
カシオペア座にも　なれただろうに

十万馬力の星屑伝説
アストロボーイのなれの果てだよ
十万馬力の流れ星野郎
アストロボーイ果てのなれだよ

アトムの残骸　吊るして飲んだ
銀河系街　ギャラクシー酒場
原子の匂いに　満ちているよな
荒くれどもの　酒に浸した

19 THE BLUE HEARTS

1 忌野清志郎
2 椎名林檎
3 奥田民生
4 セカオワ
5 aiko
6 井上陽水
7 米津玄師
8 槇原敬之
9 スガシカオ
10 木村カエラ
11 星野源
12 ミスチル
13 YUKI
14 吉田拓郎
15 B'z
16 NOKKO
17 尾崎豊
18 スピッツ
19 ブルーハーツ
20 西野カナ

神経衰弱

お前はNASAのAIで
俺は一介の　宇宙飛行士
銀河系の　果てまで
荷物を運ぶ　しけたドライバー
長い時間　相棒の　お前と色々　話したな
このオンボロに　組み込まれた
お前も過去が　あるんだろう

いいさ　そいつは　聞かないお互い
次の星まで　トランプでもやるか
隕石が当たった穴から　ヒューヒューと
風が入ってきやがるぜ

俺にも家族が　いた時がある
もう何光年も　会ってないがな
坊主も今じゃ　地球で立派に
俺のことなど　忘れてるはずさ
何回目の神経衰弱だ
何度やっても　お前の勝ちだよ
何回目の神経衰弱だ
100回やっても　お前の勝ちだよ
もう　何回目の神経衰弱だ
目が見えないし　指も利かない
もう何回目の神経衰弱…もう…

20 西野カナ

Dear Heart

月面出勤するあなたに
いってらっしゃいの　キスと
気をつけてくださいの　ハグします
だって　宇宙パイロット初日だから
逢えない　逢えないって　大騒ぎしてた
あの頃の　私じゃないんですよ
震える心を　押さえつけて
あなたを　見送りたいんです

流星避けのお守りは　ロケットの操縦席に
私の写真は宇宙ステーション　あなたの部屋に
無重力プランターは　月面基地の花壇に
陽当たりのいいところで　お願いします
あ　あんまり良すぎると180度くらいに　なるから注意です

You'll Be There In My Heart
あなたはいつでも　私の心にいます
I'll Be There In Your Heart
私はいつでも　あなたの心にいます
寂しくなったら　星に聞きます
あなたは今頃どこですかって
ちゃんと操縦してますかって
離れても　私はあなたのハートを
ちゃんと操縦してますよ　Dear Heart

「文体模写」の始祖から73年
「詞風模写」による知的遊戯の世界へ

［解説］石黒謙吾

フランスの作家、レーモン・クノーが著した『文体練習』では、実験的クリエイション「文体模写」が99通り示されています。その名著にインスパイアを受けて3年前に企画・プロデュース・編集したのが、『もし文豪たちがカップ焼きそばの作り方を書いたら』。そして今回、『文体練習』の刊行から73年経って本書で展開する「エア作詞」という知的遊戯を「詞風模写」と名付けておくことにしましょう。

旧知の相田さんから、「はじめに」に出てくる作詞教材が本にならないかと相談を受けたのが２０１８年12月。尾崎豊の分析と実例を読んで、さすが長年一線でプロとしてやってきた人の才気はすごいなと感服しました。そしてどうせなら、作詞をやりたい人以外の、ごく普通に音楽好きなほとんどすべての日本人が面白がってくれて、かつ、知的なセンスと作詞の方法論を学べる本にしたいと考えて、本の仕込みがスタート。

『もし文豪たちが～』が多くの方に受け入れてもらっていたこともあり、書名を含め、素直にその流れに乗っていくのが大きな狙い。しかし決定的な違いは、シチュエーションと人数。『もし文豪たちが～』では、「カップ焼きそばの作り方」という一つの情景を１００人分並べていて、『文体練習』もそう。しかし、歌詞ならば同じ手法では面白くならないと判断しました。本書全体の構成の狙いは、ビッグなアーティスト１人が違う状況で詞を書き分けていく妙味。そして、万人が明確に「詞風」を感じられるほどオリジナリティが際立ったアーティストはそれほど多いわけではなく、20に絞り込みました。

　状況は、やはりコミカル系、インパクト系を中心に。しかしながら、「オーソドックスな状況も」という相田さんの見解はさすがと納得で、６シーンが決まりました。アーティスト人選は企画書段階でラインナップしてあったものの、企画が通ったあと詰めの段階で、音楽好きの幻冬舎・有馬大樹さんと3人で揉みに揉んで決定。相田さんは僕の3つ上でほぼ同世代、有馬さんは僕の17歳下という組み合わせは良かった。本をよく買う上の世代を意識した年齢層、男女、詞の傾向など、バランス良くまとまったかなと。

最後に、この本に関連する余談的私事を。今年のはじめ、59歳にして生まれて初めて、ちゃんと「作詞」をしました。スタジオでレコーディングしてサブスクで配信という、自分として本気の戯れ事のためです。「全キャン連」＝全国キャンディーズ連盟代表として、41年ぶりにソロデビューした伊藤蘭さんに捧げる「微笑の恩がえし」という曲。もちろん「微笑がえし」への返歌として。作曲は音楽評論家のスージー鈴木さんにお願いし、曲先で詞を書いたのですが、たった1曲でも、作詞の奥深さを思い知りました。

作詞家や、詞を作り続けるアーティストに、あらためてリスペクトを。

［おわりに］

最後まで野球

作詞家になって、はや三十余年。元中日の山本昌投手の現役年数と並んでしまいました。こんなに長く続いたのも、出会ったアーティストやディレクターの方々に恵まれたからだと思います。

この本にしても、果たして面白いのか？　多少なりとも役に立つのか？　自問自答しながら原稿を書いてましたが、それは今この本を手にとってるあなたに委ねるしかありません。

ドラフトの下位指名でプロ野球に入り、レギュラーだけど打順は7番か8番。野球選手にたとえると、そんな感じの作詞家人生ですが、もう少し現役でいられたらと思っております。

あの千葉ロッテマリーンズ伝説の打撃投手、池田重喜さんのように70歳まで現役を目指し、僕もまだ作詞家のユニフォームは脱ぎません。

最後に本書出版に尽力してくださった石黒謙吾氏、幻冬舎の有馬大樹氏にお礼を申し上げます。

相田 毅

（あいだ・たけし）

作詞家

SMAPのデビューから主要スタッフとして参加。

他にKinKi Kids、嵐、関ジャニ∞、

KAT-TUN、Hey! Say! JUMP、Kis-My-Ft2などを手がける。

主なヒット曲にSMAP「俺たちに明日はある」、

嵐「PIKA☆NCHI」「サクラ咲ケ」、関ジャニ∞「大阪ロマネスク」、

BoA「コノヨノシルシ」、ゴスペラーズ「街角」などがある。

2012年には、堀内孝雄「笑うは薬」で

第45回日本作詩大賞入賞。

STAFF
歌詞・文 …… 相田 毅
イラスト …… 田中圭一
企画・プロデュース・編集 …… 石黒謙吾
デザイン …… 吉田考宏
DTP …… 藤田ひかる（ユニオンワークス）
編集 …… 有馬大樹（幻冬舎）

もしあのBIGアーティストが
［文春砲にやられた］歌詞を書いたら

2020年10月20日　第1刷発行

著　者　相田 毅
発行人　見城 徹
編集人　菊地朱雅子

発行所　株式会社 幻冬舎
〒151-0051　東京都渋谷区千駄ヶ谷4-9-7
電話　03（5411）6211（編集）
03（5411）6222（営業）
振替　00120-8-767643
印刷・製本所　株式会社 光邦

検印廃止

ISBN978-4-344-03688-8　C0095
幻冬舎ホームページアドレス　https://www.gentosha.co.jp/

この本に関するご意見・ご感想をメールでお寄せいただく場合は、
comment@gentosha.co.jp まで。

JASRAC 出 2007996-001